ちくま学芸文庫

社会思想史講義

城塚 登

筑摩

【目次】社会思想史講義

社会思想史講義

はしがき

二〇世紀の終末を迎えつつある現在、日本を含む先進国の社会も、いわゆる「発展途上国」の社会も、不安定な状態を呈しているようにみえる。戦後、順調に経済の高度成長を達成してきたようにみえた日本も、バブル崩壊後は、金融システムをはじめ種々の経済システムが不調に陥り、不安定な状態となっている。政治システムとしての議会制民主主義も、市民の政治的無関心、政党のあわただしい離合集散など、形骸化がめだっている。市民生活も、凶悪犯罪の横行によって脅かされている。

それゆえ、われわれはここで、どのような社会をめざすべきなのか、現在の社会のどこを、どのように変革すべきなのか、という根本的な問いの前に立たされているといえるであろう。資本主義社会の矛盾・弊害の根本的克服をめざした社会主義諸国が、その深刻な欠陥を露呈している今日、われわれは、どのような社会をめざすべきなのであろうか。

この問題について考えを進め、深めていくためには、社会についての根本的・総体的な把握を示している社会思想の歴史を振り返ることが必要となる。

本書は、もともと「放送大学」の教育課程として、ラジオ放送によって行われた「社会思想史」という講義のテキストとして、一九八五年に執筆され出版されたものであるが、今回全面的に加筆し、とくに現代の主要な社会思想に光をあてるよう試みた。そして従来の「社会思想史」が、資本主義〈対〉社会主義という対立を基軸にして記述されていたのに対して、本書は、より広い視野に立ち、近代社会の形成から現代社会の変貌までに深く関与した社会思想を考察することにした。

本書は、大きくまとめると、三つの部分に分けることができる。

第二次世界大戦の敗北から出発した現代日本にとって、明治以来の近代化の過程への反省を抜きにしては、今後の日本の進路を見さだめることができない。それゆえ、近代ヨーロッパにおける近代化——民主主義国家ないし社会、資本主義社会の形成——の過程を担った人びとが、どのような社会思想を生みだしてきたかを、第一に考察することにする。対象として扱うのはその時期の代表的な社会思想であって、そこには当時の人びとが社会をどのように考え、社会のなかでどのように生き、社会に対してどのような態度をとっていたかが示されているのである。

第二に、近代社会が深刻な諸問題・弊害を露呈してきたときに、それに対決し、それを解決するために形成された社会思想を考察することにする。そこには社会主義諸思想が含まれるが、その内容は幅が広く、社会主義諸国として実現されたものは、その一部分にすぎないことが判明する。そして幅の広い内容のなかには、現代日本の社会が生みだしている諸問題について考える手がかりを見いだすことができるであろう。

第三に、とくに二〇世紀に入って現代社会は大きく変貌してきており、それに伴って質的に新しい諸問題が登場してきた。それを合理化と官僚制、大衆社会、管理社会、情報化・消費化社会という四点にまとめて考察する。今日の日本社会も、日本的特殊性とからみ合いながらも、同じ諸問題に直面しているからである。

城塚　登

一九九八年三月

第1章　近代的人間の登場

イタリアの諸都市を中心として、一五世紀から一六世紀にかけて華やかに展開されたルネサンスの文化は、有名である。それは古代ギリシャ・ローマの古典文化の再生（ルネサンス）をめざすものであったが、同時に、新しい型（タイプ）の人間が生みだした文化であったといえる。この章では、この新しい型の人間がもっている特徴を明らかにし、そうした人間の社会思想として、マキアヴェリ（Niccolò di Bernardo dei Machiavelli, 1469-1527）の思想をみることにする。

1　新しい型の人間の特徴

†伝統的な価値や意味の剝奪

十字軍の遠征をきっかけとして盛んになった地中海での東方貿易によって富を獲得したイタリアの諸都市は、一二世紀から一三世紀にかけて封建領主の支配から脱し、自治体（コムーネ）として成長していく。これらの自治都市（国家）の市民たちは、豊かな生活のなかで自信をもち、現実に密着した考え方を身につけていった。

ボッカチオ（G. Boccaccio, 1313-75）の『デカメロン』に代表されるように、ルネサンスの文学は官能の賛美、性の解放を一つの大きな主題としているが、同時にキリスト教会や修道院の腐敗・堕落、王侯貴族の生活の堕落を暴露し、風刺することが多かった。中世を支配していた価値秩序は、ローマ教皇を頂点とする精神的な階層秩序と、国王（領主）を頂点とする世俗的な階層秩序との重なりから成っていたが、そうした価値秩序から離脱したところで、市民たちは生活を営んでいたのである。したがって市民たちは、聖職者や王侯貴族から伝統的な価値や意味を遠慮なく剝ぎとってしまい、赤裸々な自然のままの人間としてとらえるのである。そして市民たちは自然のままに求められる価値として、現世的な美・快・富を大胆に讃美し、追求したのである。

†計算ずくの態度

このような市民たちは、ものごとをありのままにとらえようとしたが、それは、経済的活動における合理主義的態度と結びついていた。アルベルティ（L. B. Alberti, 1404–72）の書いた『家族論』（一四三二）には、フィレンツェの有力な商人の家族の生活が描かれている。そこで生活を貫く原理として示されているのは「家計は神聖なことである」という命題であった。つまり、計算ずくで家の経済運営にあたるべきだというのである。

狭い意味での合理主義的態度は、ある目的を達成しようとするとき、その実現手段を最も多く頭に浮かべて、所与の条件のもとで比較考量（計算）を行い、最も適合的な手段を選択して行動するという態度だといえる。したがって、計算ずくですべてのことにあたる態度は、近代的人間の特徴の一つである合理主義的態度を意味していると考えられる。

†個人の主体性

中世では地縁的な共同体のなかで、そして前に述べた二重の階層秩序のなかで生活が営まれていたが、自治都市の市民たちはそうした共同体や階層秩序から離脱して、個人として自立していた。経済活動はアルテという同業組合に組織化されていたが、市民は個人として美・快・富を追求したのである。そこから弱肉強食の争いが起こったが、同時に個人の主体性についての自覚も生じてくる。

ピコ・デラ・ミランドラ（G. Pico della Mirandola, 1463-94）は『人間の尊厳についての演説』（一四八六）のなかで、人間は特定の住所・相貌・機能を与えられずに創造されたから、自分の意志と判断によって、どのようなものにでも自分を形成できると語っている。自分が自分のことを決め自分から行動するという個人の主体性が、はっきり自覚されるようになったのである。

†自然科学と技術

ルネサンスにおいて登場した新しい型の人間は、自然をありのままに観察し、とらえようとする。宗教的あるいは伝統的な価値づけや意味づけを剝ぎとって、ありのままの自然を自由な目で認識しようとするのである。美術の天才レオナルド・ダ・ヴィンチ（Leonardo da Vinci, 1452-1519）は、同時にまた科学技術上の天才であり、その手稿には、機械学、物理学、天文学、解剖学などについての優れた業績が含まれている。彼は観察と経験を重視し、数学を基礎にして自然をとらえようとした。ガリレイ（Galileo Galilei, 1564-1642）は数学・物理学・天文学の研究を進め、天体や物体の運動の法則性を見いだし、重力・時間・速度の関係を数学的に跡づけようとし、近代自然科学の方法を開拓した。このように、自然をありのままにとらえようとする努力が、自然科学と技術の発達をもたらしたのである。

†「万能人」の理想

「人間は魂の決断によって『神的な』ものに再生することができる」とピコは述べていた。そこには人間の力強い自信が示されている。実際ルネサンス期には、レオナルド・ダ・ヴィンチ、アルベルティなど、一芸に秀でたばかりではなく、ほとんど万能ともいえる多彩な才能を発揮する人物が登場した。彼らは「万能人」（uomo universale）と呼ばれ、人々のめざすべき理想とされたのである。

2 マキアヴェリの社会思想

†政治的実務家としての経験

マキアヴェリはフィレンツェに生まれ、七歳のときからラテン語を学びはじめ、後に算術を学んだ。そして、一四九八年にフィレンツェ政府第二書記局長に任ぜられ、外交・軍事の実務にあたることになった。当時のイタリアは政治的に危機の様相を示していた。一五世紀後半のイタリアはナポリ王国、ローマ教会領、ミラノ公国、ヴェネツィア共和国、フィレンツェ共和国に分割されていた。一四九四年、フランス王シャルル八世がイタリアに侵攻し、全イタリアを席巻し、それがきっかけとなってフィレンツェの政治の中核となっていたメディチ家が追放され、修道僧サヴォナローラ(G. Savonarola, 1452-98)の権威を背景とする民衆政治が実現した。だが、四年後には貴族派が力を得てサヴォナローラを火刑に処した。

この一四九八年に政治の舞台に登場したマキアヴェリは、ピサ攻撃をめぐって傭兵隊長やフランス軍と交渉にあたったり、外交使節として諸国を歴訪したりして、フィレンツェ共和国のために奔走した。そうした政治的実務にあったことが、彼の思想に大きな影響を与えたと考えられる。一五一二年、メディチ家がイスパニア軍の力を借りてふたたび権力の座につき、マキアヴェリは解任され、フィレンツェ市からの立退きを命ぜられた。そして翌年にはボスコリの陰謀に巻き込まれて投獄されたが、微罪というので放免され、その後は市郊外のサンタドレアの山荘にひきこもり、古代ギリシャ・ローマの古典に親しみ、自分の豊富な経験に基づいて思索を練り、著述に専念したのであった。

†現実主義的方法

マキアヴェリの代表的著作『君主論』（一五一三年執筆）と『ローマ史論』（一五一七年完成）をとりあげ、彼の社会思想の特徴を探ることにしよう。

「ところで私が物を書く気持としては、読む人のお役に立たせたいと念じているのだから、それにつけても空想的なことよりも事柄の現実的な真理に即していく方がよいと思われる。多くの人びとは、現実に存在するのをただの一度も見たことも聞いたこともないような共和国を空想したものである。ところが現に人の営む生活の仕方と、人が営むべき生活の仕方とのあいだには大きな差異があるから、まさにな

マキアヴェリ

すべきことのために現になされていることを棄てて顧みないひとは、その身も固まらぬうちに早くもその破滅を招くものだ。それというのも、自分の職業活動のすべてにおいて良きことを実行しようとする人は、良からぬ連中に取りまかれて身を滅ぼすことになるからである。だからこそ君主として必要なのは、その地位を保ちたいと思えば、良からぬ人間にもなれる術を会得しておき、必要に応じてこれを使ったり使わずに済ませたりすることである」（『君主論』）。

マキアヴェリは実際に役に立つ説を提供しようとし、そのため現実（現に人の営む生活の仕方）に即して考えを進めようとする。従来の考え方では、人間はこうあるべきだという道徳的判断が前面に出てしまい、人間のありのままの姿、赤裸々な姿をとらえそこなっている。伝統的な意味や価値にとらわれているのである。そこでマキアヴェリは、政治の世界を宗教や道徳の世界から、はっきりと切り離し、政治の世界では徹底的に現実に即して判断し行動するよう説く。それは現実主義の立場であるといえよう。たとえば、ある会社の社長が立派な人格者で他人を疑うことを知らず、他人も立派な人格者だと思い込んでいるとすれば、良からぬ連中にだまされ、社長の地位を追われたり会社を破産させてしまう危険がある。良からぬ人間が多いという現実を見抜いていないからである。君主は良からぬ人間にもなれる術を会得している必要があるとマキアヴェリが説くのは、そのためである。

†人間の本性

宗教的・道徳的なベールを剥いだ赤裸々な人間は、どのような性質をもっているだろうか。マキアヴェリによれば、人間の本性はいつでもどこでも変わらない。昔も今もどこでも同じ欲望によって動かされているとされる。この欲望の中心となるのは所有欲である。

「一般的にいって人間というものは恩知らずで移り気で、偽善的で自分を偽り、臆病で貪欲である。恩恵を施せば彼らは君主の味方になるが、生命、財産、血、子供たちを君主に献げるというのも、その必要が間遠いときの話で、それも間近に迫ったとなると、たちまち離反するものである。……もともと人間は父親が殺されたことはすぐ忘れても、財産をなくしたことの方はなかなか忘れないものなのだ」(『君主論』)。

このように、人間の本性を打算的利己心に見いだしたマキアヴェリは、政治とはそのような人間の欲望を巧妙に利用し誘導して、権力を獲得し維持する技術であると考えるのである。そしてこの技術については、人間の本性がいつでもどこでも変わらない以上、過去において成功した技術は現在でも有効であるはずである。したがって過去の政治的出来事を研究することによって、現在の政治的状況のもとで有効に対処する判断や行動を導きだすことができることになる。

†権謀術数主義の問題

ルネサンスに登場した新しい人間は、人間や自然から伝統的な価値や意味を剝ぎとって、ありのままにとらえようとした。マキアヴェリはその態度を徹底し、政治の領域で現実主義の立場をとり、利己心によって動く人間に対して計算ずくで対処することを説くのである。この場合、ある目的を達成しようとする政治的な判断や行為は、道徳的立場からの評価とは無関係に、その目的を達成する手段としての適否が評価されることになる。

「政治家が善良なるすべての資質を具えている必要はないが、具えているように見せかけることは必要である。さらに私があえて主張したいのは、そういう資質をもっていて、その資質に従っていつも行動することはかえって有害であって、その資質をもっているように見せかけるのがつねに有利だということである。政治家は慈悲深く正直で誠実で無私で敬虔であるように見えもし、また事実そうでなければならないが、いざというときには、平気で反対の態度になりうるぐらいの変通は体得していなければならない」(『君主論』)。

つまり状況によっては道徳に反する行為をすることも許されると説かれる。ここから、目的を達成するためには手段を選ばない権謀術数主義が、「マキアヴェリズム」と呼ばれることになった。しかし、マキアヴェリ自身は、けっして不道徳や反宗教を勧めたわけではなかった。ただ政治的な事柄を色眼鏡なしに事実のままに認識し、目的を達成するのに最も適した手段を用いることを勧めただけであり、それが結果として道徳に反してもやむをえないと説いたにすぎないのである。だが、当時はキリスト教の影響がまだ根強く、政治を教会の支配下にふたたび属させようとする動きもあったので、その立場からマキアヴェリの所説に激しい非難攻撃が加えられたのであった。

†ヴィルトゥと国民国家統一

マキアヴェリはまた、政治を実際に動かしている根源的な力をヴィルトゥ(virtù)

と呼んだ。ヴィルトゥという言葉は、普通は徳を意味するが、それを彼は道徳的な内容から切り離し、支配を実現する力量を意味するものとした。個人においてヴィルトゥが最大限に発揮されるとき、その個人は絶望的な苦境をも打開して、支配を実現し権力をにぎる。その場合、運命の力は強く、幸運にめぐまれなければ支配を実現できないが、ヴィルトゥがなければ、幸運にめぐまれても支配を実現し維持することができない。

マキアヴェリは、このようなヴィルトゥをもった偉大な人間の出現を待望していた。当時のイタリアは、統一的な国民国家形成の動きに遅れ、分裂状態のまま都市国家同士が争い、外国軍隊の侵入に脅かされていた。このような苦境を脱するためには強力な政治力をもつ人物が登場して国民的統一を実現する以外に道はない、と彼は考えていたのである。彼はまた、ヴィルトゥは個人においてだけでなく、国民や民族においても存在していると説く。世界史を考察すると、世界を制覇するような国民・民族がつぎつぎに登場し、ローマ帝国衰亡後は、世界制覇はなくなったが、生き抜く力をもつ国民にヴィルトゥが付与されたと考えられる。一つの国民・民族においてヴィルトゥが働くならば、国民に覇気と活力が生まれ、歴史を動かすようになる。当時のイタリアにはヴィルトゥが欠如しているから、国家は分裂状態にとどまり、国民は萎縮し、情熱を失い、怠惰に日を過ごしているのだと説くのである。

†共和政と君主政

マキアヴェリは『ローマ史論』では共和政の擁護に努め、『君主論』では君主政を弁護しているようにみえ、そこには矛盾があるようにみえる。しかし彼が二つの著作で行おうとしたのは、君主政と共和政とがそれぞれどのような特性をもち、どのような国民状態のときに有効性を発揮できるかを究明することであった。彼は政体を君主政、貴族政、共和政の三つに区分し、それぞれの堕落状態として僭主政、寡頭政、衆愚政をあげている。そして前三者は容易に後三者へと変化するから、前三者のよい政体が加味された混合政体が最善であるとする。そこでは同一国内で君主政、貴族政、共和政が互いに監視し合い、君主と貴族と民衆との三つの権力が均衡するからである。

しかし、マキアヴェリの貴族に対する反感は強く、結局は君主政と共和政とが、それぞれの国民状態に対応して採用されるべきだと考えていたと推測される。市民たちのあいだに平等が実現されているところでは共和政を採るべきであり、貴族が多く存在し差別が支配的であるところでは君主政を採るべきだと考えていたように思われる。

つまり、市民たちがまだ政治的に未成熟であるのに、共和政を採用すれば、衆愚政に堕落してしまうから、君主政を採るべきだというのである。

†マキアヴェリの社会思想の問題点

マキアヴェリは人間の本性を打算的利己心に見いだした。たしかにだれにでも利己心はある。利己心がないといったら嘘になる。しかし人間は利己心だけによって動かされているわけではない。利己の立場を超えたもの——たとえば愛や理性——によっても動かされる。現実の人間は、利己心や愛や理性がさまざまなかたちで葛藤するなかで、判断し行為するのである。マキアヴェリが利己心だけを人間行為の動因だとする限り、それは一面的な人間把握だといわなければならないだろう。

またマキアヴェリが、政治を統治する技術として認識する傾向をもつところにも問題がある。共和政を高く評価する以上、民衆の側から政治をとらえる必要があるが、彼の考えは統治する側からのものであり、その側面に現実主義的方法を導入したのである。

⚜ボッカチオ (Giovanni Boccaccio, 1313–75)

イタリアのフィレンツェ郊外のチェルタルド出身の商人の子。父は息子を商人にするため、一三二七年頃、彼をバルディ商会のナポリ支店に送った。だが彼は古典の勉学と文学とに励み、詩や小説の創作に没頭した。

一三四八年、ペストの大流行がヨーロッパを襲い、フィレンツェ市でも多数の死者がでて、市民は郊外に退避した。ボッカチオは、これをきっかけとして、傑作『デカメロン』(*Decameron*, 1348) を書いた。

『デカメロン』は、ペストを避けて山荘に移った七人の若い婦人と三人の男性の計一〇人が、一日一人一話ずつ計一〇話を、一〇日間話し続けるというもので、総計一〇〇の短編物語から成り立っている。そこで目立つのは、現実に対するリアルな把握と描写である。法衣の下に貪欲、色欲、偽善などを隠す聖職者たちの姿を暴露している。

◆アルベルティ (Leon Battista Alberti, 1404–72)

イタリアのジェノヴァに生まれた。一四二一年までにボローニャ大学に入学し、二八年以前に教会法の学位を受けた。三一年より前のある時期にトスカナにある聖マルティノ修道院の次長に任ぜられ、三二年に教皇庁の書記官となった。

その年に『家族論』の最初の三巻を書き、第四巻は一四三七年に書いて、四三年に全巻にわたり改訂した。

ラテン語で書かれた『絵画芸術について』は一四三五年に完成し、翌年イタリア語の『絵画論』が執筆された。

一四三四年に教皇とともにローマからフィレンツェに移っていたアルベルティは、四三年にローマに帰り、『建築論』全一〇巻を五二年に教皇に奉献し、以後、宮殿や教会の建築を指導した。七〇年に彼がマントヴァの聖アンドレア教会のために設計したプランは、その後の教会建築に重大な影響を与えた。

❖ピコ・デラ・ミランドラ　(Giovanni Pico della Mirandola, 1463-94)

イタリアのロンバルディアの名家に生まれたピコは、パドヴァ大学をはじめとしてイタリア、フランスの諸学校で、プラトンとアリストテレスの哲学、ヘブライおよびアラブの宗教・哲学・科学を学んだ。一四八六年、ピコはローマで公開討論会を組織し、九〇〇の命題を立証しようとしたが、教皇庁に彼の思想は異端であるとされ、断罪された。

一四八七年からピコはフィレンツェでロレンツォ・デ・メディチの庇護のもとで著作に没頭した。彼は、プラトン哲学とキリスト教信条との融和をめざした。そして神学を自然哲学と総合し、世界を天使界、天体界、地上界に分け、神はこの世界（大宇宙）の創造者であり、小宇宙的存在である人間は、この神に復帰すべきであると説いた。

❖レオナルド・ダ・ヴィンチ　(Leonardo da Vinci, 1452-1519)

イタリアのエンポリ近郊に生まれる。一五歳のとき、父に伴われてフィレンツェに出て、ヴェロッキョの徒弟として修業した。一四八〇年には独立の工房をもち、画家として傑出した才能を示した。八二年にミラノの摂政に招かれ、以後一七年間ミラノに滞在した。芸術以外の学問・技術にたずさわり、絵画・彫刻作品は少ない。一五〇〇年にフィレンツェに帰ってから、多数の芸術作品の傑作を創りだした。一五〇三年には有名な「モナ・リザ像」などを描き、またミケランジェロとともに大壁画を依頼されて「アンギアリの会戦」の画稿を完成した。

彼は芸術家として傑出していただけでなく、機械学、天文学、物理学、解剖学なども研究し、万能ともいえる才能を発揮した。彼の手稿には、落下傘、ヘリコプター、フラップ翼などの着想が示されている。

ガリレイ（Galileo Galilei, 1564-1642）

イタリアのピサに生まれた。ピサの斜塔で落体の実験を行い、アリストテレスの自然学の誤りを正し、近代的力学の基礎を築いた。パドヴァ大学教授時代（一五九二～一六〇九）には、コペルニクスの天文学を研究し、望遠鏡を発明して天体観測に用い、種々の発見をした。彼の研究成果は、神学者などの反対にあい、一六一六年には宗教裁判にかけられ、地動説の放棄を命じられた。

一六三二年に『二大体系対話』を書き、検閲を受けて出版したが反対にあい、ローマに幽閉されたりした。晩年には『新科学対話』を書き、惰性の法則、落体の法則を記述した。そして数学的法則を定立し、経験的事実を数量的に分析することが、科学の研究方法であることを示した。

メディチ家（i Medici）

一五世紀から一八世紀にかけてフィレンツェに繁栄したイタリアの財閥である。商業と金融業によって富を蓄積し、一家はヨーロッパ各国の名家と婚姻関係を結び、三人の教皇、二人のフランス女王を世に送りだした。

とくにジョヴァンニ・ディ・ビッチ（一三六〇～一四二九）は貴族に対抗して人民党の党首となり、巨富を得て一四二一年に市の長官となった。その長男コジモ（一三八九～一四六四）

は、一四三三年に貴族党によって市を追放されたが、まもなく帰って政権を握り、以後三〇〇年におよぶメディチ家の繁栄の基礎をつくった。

その後、メディチ家は一四九四～一五一二年および一五二七～三〇年の期間は勢力を失ったが、他の期間はフィレンツェの政治を支配しつづけた。

◆サヴォナローラ（Girolamo Savonarola, 1452-98）

イタリアのフェララに生まれた。幼少の頃からスコラ哲学者、とくにトマス・アクィナスの著作に関心をもち、一四七五年にボローニャのドミニコ会に入り、六年後フィレンツェのサン・マルコ修道院に移った。八六年から彼は神の怒りについて情熱的に語りはじめ、説教者としての評判が高まった。九一年にサン・マルコ修道院の院長となった彼は、人文主義者の虚飾や聖職者の堕落を激しく攻撃し、多くの予言を的中させた。

一四九四年、彼の予言通り、フィレンツェは侵攻してきたフランス軍に降伏し、それを機に、彼の独裁的な政治が始まり、美術品や贅沢品を破棄する「虚栄の焼却」を行った。教皇に服さなかったため、異端として火刑にされた。

第2章　個人の自立と自由

1　ルターの宗教改革

†信仰と個人の自立

中世のヨーロッパに生活した人びとは、国王や諸侯を頂点とした世俗的な階層組織のなかに組み込まれていたし、同時にまたローマ教皇を頂点とする宗教的な階層組織にも組み込まれていた。俗人は教会で聖職者に導かれ仲介されたときにのみ、正しい信仰によって神につながることができると考えられていたのである。したがって、個人が内面的に自立することもなく、自由の自覚も稀薄であった。

ルター（Martin Luther, 1483-1546）によって始められた宗教改革は、個人が内面的信仰を通じて直接に神につながる道をひらいたのであり、個人の自立と自由の自覚をもたらすものであった。ルターの教えとそれを受けついだカルヴァンの教えに基づいて、ローマ・カトリック教会から離反した諸教会は、プロテスタント教会と呼ばれ、その宗教的原理はプロテスタンティズムと呼ばれる。

†信仰義認論

ルターはエルフルト大学の文学部に入り、さらに法学部に進んだが、一五〇二年二二歳のとき、親友の死と落雷にあって経験した自分の死への恐怖から、一つの「回心」を体験し、突然修道院に入った。そして「キリスト者として完全であるためにはいかになすべきか」という問題をひたすら追究し、聖書に沈潜した。一五一二年、ルターは、「神の義は、その福音の中に啓示され、信仰に始まり信仰に至らせる」というパウロ (Paulos, ?–62/65) の言葉に福音の真理を見いだした。

つまりルターは、神の義を神の「賜物」としての義と解し、したがって人間は神から与えられる義をただ信仰を通じて受け取ればよいとした。神は、人間から救いの条件として義を要求するのではなく、現実に義しくない人間にもキリストの義を「賜物」として与え、罪人を義人として認めるのである。後に「信仰によってのみ義とされる」という信仰義認論として定式化されるこの福音主義は、神の言葉（福音）を通じての信仰者と神との内面的・直接的な交わりを確信するものであったから、外面的な教会への功績に対して聖職者の仲介によって与えられる恩寵・贖宥（しょくゆう）といったものの意義を否定するものであった。宗教改革の発端となった「免罪符」の効力に対する批判は、ルターのこの福音主義の立場からなされたものであった。

†宗教改革運動の展開

「免罪符」は、金銭でそれを買いさえすれば、自分だけでなく親兄弟まで罪を許されるとされ、教皇庁から発行されたのであるが、一五一七年、教皇レオ一〇世によって発行された「免罪符」を、テッツェル（Johann Tetzel, 1465頃-1519）という説教者が、ルターの住んでいたヴィッテンベルクを含むマグデブルク大司教区に来て売りさばいた。ルターは『免罪符の効力に関する九五カ条の宣言』を書き、「免罪符」の発行に反対したのである。『宣言』はラテン語で書かれ、専門的な立場から「免罪符」の効力についての自分の見解を、司教や神学者に向けて述べたものであり、けっして一般の民衆に呼びかけたものではなかった。にもかかわらず、『宣言』はたちまち大きな反響を呼び起こし、ドイツ語に訳され、当時普及しつつあった印刷術の助けを借りる

ルター

ことによって、短期間に全ドイツへと流布され、反響は国民的規模、さらには全ヨーロッパ的規模にまで拡大したのであった。このような異常ともいうべき反響をルターの『宣言』が呼び起こしたのは、当時の多数の民衆が、教皇を頂点とするカトリック教会の搾取、またそれと結びついていた特権商人たちの搾取に強い不満を抱いていたからである。

ルターは、最初は純宗教上の問題として自分の立場を主張しようとしたのであるが、民衆の激しい力に後押しされ、ローマ教皇庁に対する公然たる挑戦者、特権階層に対抗する民衆の英雄的代表者とならなければならなくなった。一五一九年の七月、ライプツィヒ大学で行われた公開討論会で、ルターはエック（Johannes Eck, 1486-1543）との論戦のあいだに、それまでの曖昧な態度をはっきりと捨て、教皇の至上権、教会会議決定の絶対的正当性を明確に否認した。

このようにローマ教皇庁と真正面から対立することは、ルターの福音主義からの必然的な帰結であったともいえるが、この帰結にまで進むことは、彼にとって絶大な勇気と決断とを必要としたのであり、この勇気と決断とを彼に与えたのは、民衆の力強い反響であった。ローマ教皇庁はルターを弾圧しようと躍起になったため、ますますルターは国民的英雄となった。一五二〇年六月、ルターに対する破門状が六〇日の猶予期間をつけて届けられたが、ルターはこれを一二月に焼き捨てた。そしてこの年に、彼はいわゆる三大改革論文を公表したのであった。

†職業召命観と社会改善案

その第一の論文は『ドイツ国民のキリスト教貴族に与える』である。そのなかでルターは、①教権は俗権に優越する、②教皇のみが聖書の誤りのない解釈者である、③教皇のみが合法的な教会会議を招集できる、という三つの教説に批判を加えている。そして彼は「キリスト者はすべて一様に司祭である」と説き、聖職者でない普通の人びとも『聖書』に書かれた福音に導かれて、みずから司祭として信仰を通じ直接に神につながることができるとした。そこでは、聖職者の特権的地位が否定され、世俗の種々の職業も聖職者の職務も、すべてキリストを頭にいただく同一の身体に属し、相互に奉仕し合う関係にあるとされる。世俗の人びとは、各人に与えられた職務に励むことが、そのまま神に対する奉仕となるのである。今日のドイツ語や英語で職業のことはBerufとかcallingといわれる。これは「召命」（神のお召し）という意味であり、職業労働が神のお召しである（天職である）という職業召命観を示している。

またこの論文では、ルターは具体的な社会改善案を提示している。①すべての諸侯、貴族、都市は領民が初収入税をローマ教皇庁に納めることを禁じ、領民が教皇庁によって搾取されないよう種々の措置を行うこと、②ローマへの巡礼は多額の浪費をともない、家郷の妻子を困窮させ、ローマの悪習に感染するだけなので、禁止すること、③修道院や本山は、各人が欲する期間だけ入って聖書を学ぶ「キリスト教の学校」のようなものに改善すること、④聖職者も妻帯する自由をもつこと、⑤聖徒の日とか教会の祝祭などは廃止すること、⑥教育を振興し、大学における学問的研究を促進すること、⑦贅沢を勧めて巨利を得ている特権的大商人の活動を制限すること、⑧香料の輸入を禁止すること、⑨年金取引や高利貸をしている大商社を閉鎖すること、⑩暴飲暴食をつつしむこと、⑪娼家を廃止すること、である。

ルターはこのように、ローマ教皇庁、特権的大商人たち、大商社を激しく攻撃したのである。

†キリスト者の自由

第二の改革論文は『教会のバビロニア捕囚』であり、これはローマ教会の七つのサクラメント（秘蹟）が非福音的・非キリスト教的であることを論証し、そのうち洗礼と聖餐だけを認めようとするものであった。

第三の改革論文は『キリスト者の自由』である。ルターはこの論文の最初のところに二つの相互に矛盾する命題を掲げる。

「キリスト者はすべてのものの上に立つ自由な主人であって、だれにも服従しない」。

「キリスト者はすべてのものに奉仕する下僕であって、だれにでも服従する」。

ルターによると、この二つの命題が同時に成り立つのは、人間が一方では霊的・精神的な性質をもつものとして「内的な人間」であり、他方では身体的・肉的な性質をもつものとして「外的な人間」だからである。人間の魂、内的生活は、身体における行為、外的生活とは断絶している。それゆえ、魂に義をもたらし自由を与えることができるのは、身体だけで行われる教会的善行などではなく、ただ聖なる福音、すなわち神の言葉を通じた内的な信仰だけである。この信仰を不断に鍛練し強化することが、キリスト者の努めるべき行為であり修行である。そのように行為する者には、神もまた信頼を寄せ、その魂を義しくする。こうして、信仰によって魂は「ちょうど新郎が新婦と一体となるようにキリストと一体になる」のである。したがって人類の聖なる長男であるキリストがもっている支配権と聖職権とが、信仰をもつキリスト者に与えられることになる。こうしてキリスト者は、内的・霊的にはあらゆるものから自由になり、あらゆるものの主人となるのである。

しかし、人間は身体をもつ「外的な人間」である限り、欲望に動かされ、信仰から逸脱して悪い行いをする。したがって人間は自分自身の身体を制御しなければならず、身体は断食、徹夜、労働、その他の適度の訓練によって鍛練され、「内的な人間」と信仰とに服従するようにされねばならない。その限りでは、人間は下僕として服従しなければならないのである。またキリスト者は、神がキリストを通じて自分を遇したように、隣人に無償で愛の奉仕をし、喜んでその下僕とならなければならない。

このように、ルターは「内的な人間」と「外的な人間」とを峻別することによって、どのような状況にあっても、人間は内的に自由であるとし、個人の自由を基礎づけたのである。だが他方で、自由が内的な魂の事柄とされたため、社会生活における自由の実現がなおざりにされることにもなった。

†農民戦争とルター

ルターは、俗人が『聖書』を学ぶことができるようにするため、『聖書』をドイツ語に訳し、一五二二年に出版した。そして彼は宗教改革を推進しようとしたが、急進的な社会改革を行おうとするミュンツァー（Thomas Müntzer, 1489-1525）一派と対立するようになった。

一五二四年、シュワルツワルト地方の農民たちは現状に対する不満から武装して蜂起し「大農民戦争」が起こった。翌年には中・南部ドイツの各地に農民たちの武装集団が結成され、要求書が続々と作成された。ルターは、暴力を振るうことを農民に対して強く戒めながらも、農民の立場に同情的態度を示し、領主に向かって暴政を戒め温情をもって事に対処するよう要請した。

しかし農民戦争が、ミュンツァーの率いる社会革命的宗教運動とやがて合流し、領邦権力と決定的に対立するようになると、ルターはむしろ熱狂的に農民弾圧を呼びかけるようになる。『殺人強盗を働く農民徒党に対して』というパンフレットでは、ルターは農民をはっきりと敵視し、領主に徹底的な武力弾圧を要請している。ルターのめざしたのは、進歩的な貴族による上からの社会改革であったのである。

2　カルヴィニズムの特徴

†カルヴァンの立場

ルターの宗教改革を受けつぎつつ、さらにその立場を徹底し、プロテスタンティズムの全ヨーロッパへの波及をもたらしたのは、カルヴァン（Jean Calvin, 1509-64）である。彼はフランスに生まれ、パリ大学で神学的・人文学的教育を受けたが、一五三四年、カトリック教会が福音主義者を厳しく弾圧したのをきっかけとして、プロテスタンティズムへと「回心」した。そして彼はスイスのバーゼルへ移り、三六年に『キリスト教綱要』を書きあげた。これはプロテスタンティズムの立場を論理一貫性をもって体系的・包括的に説いたもので、大きな反響を呼んだ。一五三六年から、彼はジュネーブで教会改革を実行し、さまざまな困難にあいながら理想的キリスト教都市の建設に一生を捧げた。

†二重預定説

カルヴァンの宗教理念の特徴となっているのは、第一に「二重預定説」である。キリスト教には、世界の終末が迫っており、そこで最後の審判が行われるという「終末論」が含まれているが、カルヴァンはそれを強調すると同時に、神は永遠の昔から人間を、救われる者と滅びる者とに二重に預定しているという「二重預定説」を示した。こうして救われる者と滅びる者とがあらかじめ預定されているとすれば、人びとは自分が選ばれた神の民であること、つまり「救いの確かさ」を確証したいと願うことになる。カルヴァンによれば、あらゆる存在はただ「神の栄光」という究極目的の実現のためにのみあるとされるから、現世における「神の栄光」の実現のために奉仕すべく選ばれた神の道具として自分を認識することが、その「確証」にほかならない。この「神の栄光」実現のための奉仕とは、自分が召されている職業労働に精励することにある。

こうして、職業労働は自分の救いへの預定を確証する場面となる。職業労働に励めば、当然その時代の社会的・経済的条件からいって利潤の増大がもたらされるが、それはただ「神の栄光」実現のための奉仕の結果にすぎないから、それを自分の欲望を満たすために消費することは許されない。それゆえ利潤は蓄積され、より大きな「神の栄光」を実現するために、つまり生産の拡大のためにのみ用いられる。その結果、より大きな利潤がもたらされ、資本の蓄積・増大を推進していく。こうしてカルヴィニズムの「二重預定説」は、職業召命観と世俗内禁欲との強固な結合を生み、資本の雪だるま式の増大・蓄積をもたらしたのであった。ヴェーバー（Max Weber, 1864-1920）が指摘したように、このカルヴィニズムからピューリタニズムへと受けつがれていく職業倫理は、産業的中産者層のなかから資本主義的経営を生みだし、やがて宗教的性格を失って世俗化したとき、産業資本の展開を内側から推進するもの、すなわち「資本主義の精神」と化したのである。

†教会組織論

第二の特徴としてあげられるのは、教会組織論の積極的な展開である。カルヴァンは、礼拝形式のなかからミサ、聖像、祭壇などを不要なものとして追放し、ルターよりもさらに徹底した改革を行ったが、同時に教会組織の役割を重視し、教会を中核とする信徒の共同体を建設しようとした。カルヴァンによれば、きちんとした組織をもつ「可視的教会」こそが、信徒の共同体を具体化したものであり、神の栄光を表し、選ばれた者の聖化に奉仕し、選ばれぬ者を神の律法に服従させる使命をもつものなのである。したがってまた、教会員は厳格な道徳的規律に服して自分が神の民であることを証明しなければならないとされる。
このカルヴィニズムの厳格な生活規律による内部統制力、使命感に基づく強力な組織力、容赦のない排他的性格が、カルヴィニズムの全ヨーロッパへの波及をもたらしたのである。

✤エック（Johannes Eck, 1486–1543）
ドイツのシュヴァーベン地方のエックに生まれた。ハイデルベルク大学などで学び、一五一〇年に神学博士となった。フライブルク大学、インゴルシュタット大学で教え、正統教会派の神学者として有名になった。
一五一七年にルターが『免罪符の効力に関する九五カ条の宣言』を発表したとき、エックは一連の反対提言を書き、『オベリスク』と名づけた。ルターの『宣言』を支持するカールシュタットは、エックの反対提言に対する反論を公刊した。
一五一九年に、ライプツィヒ大学で行われた公開討論会で、エックはまずカールシュタットを論破したうえで、ルターと論争し、この改革者を明白な異端的立場に巧妙に追い込み、ルターに異端者の刻印を押すことに成功した。

✤ミュンツァー（Thomas Müntzer, 1489–1525）

ドイツのザクセンのシュトルベルクに生まれた。勉学に熱心で教区在住の司祭となった。一五一九年にライプツィヒでルターに会った後、彼は宗教的危機を体験し、自分が教会の悪弊から世界を浄化するため神から特別に選ばれた者である、という確信をもつようになった。一五二〇年に彼はツヴィカウの司祭に任命され、教会と社会との階層秩序を廃止するよう主張し、急進的な社会改革をめざすようになった。

一五二四年に彼はザクセンの諸侯に対して行った演説で、支配者たちは神の選民を指揮して反キリスト勢力を打破すべきだと説き、同年六月に起きた農民戦争に参加し、財産の共有、地上における神の国建設を主張した。農民戦争で敗北の後、彼は反逆者として斬首刑に処せられた。

第3章　民主主義思想の誕生

1　『リヴァイアサン』誕生の背景

†ピューリタン革命

プロテスタンティズムはイギリスへと波及し、ピューリタニズムと呼ばれる教派を生んだ。この教派は神の栄光のため道徳上排除すべき者を退けて清められた「純潔な教会」を中心とし、教会員は品行方正、誠実、敬虔などを守り、相互に倫理的資質を高めるように努めることを課題とした。このような信仰をもつようになった人びとは、一五世紀から一六世紀にかけて経済的実力を蓄えてきた独立自営農民層（ヨーマンリー）が多かった。自分の土地・家畜・農具などを所有している農民は経営を拡大し、やがて副業として毛織物工業などを兼営しはじめ、富裕になっていった。

このようなピューリタニズムの普及に対抗したのは、イギリス国教会であり、独立自営農民層の台頭に対抗したのは、絶対王政とそれに結びつく都市の特権商人層、大土地所有者層であった。宗教的対立と政治的・経済的対立とが、からみ合っていたのである。

一五七二年にピューリタンたちは、議会に国教会の内部改革をめざす「議会への勧告」を提出したが、国教会はピューリタンを弾圧しようとし、抗争が激化した。そして一六二〇年代のなかばには、議会内部に絶対王政反対のグループがつくられ、一六二八年に「権利請願」が勝ちとられた。一六四〇年に開かれた「長期議会」を舞台として王権反対派の勢力が拡大し、四二年には革命的内戦の状態となり、四六年国王逮捕、四九年国王処刑を経て、ついにイギリスはクロムウェルおよび軍隊の指導下にある「共和国」となったのである。これが「ピューリタン革命」と呼ばれる激動である。

†『リヴァイアサン』の誕生

ホッブズ（Thomas Hobbes, 1588-1679）は一六〇八年にオックスフォード大学を卒業してから、キャヴェンディッシュ男爵（後のデヴォンシャー伯）の家庭教師となり、その後援を得て思索をねった。

彼の処女作『法学要綱』は一六四〇年頃書かれたが、これが一部の王党派貴族の共感を呼んだために、ホッブズは王権擁護派とみなされるようになった。そのため彼は、ピューリタン革命の勃発直前に身の危険を感じてフランスに亡命し、その後一一年間パリで学究生活を送った。

一六五一年に彼の名を高めた『リヴァイアサン』を出版したが、その内容が唯物論的・民主主義的であったため、パリに亡命していた王統派の人たちから危険思想の持ち主として非難されるようになり、同年末に帰国してクロムウェル治下の共和国新政権に帰順したのであった。

ホッブズ

『リヴァイアサン』という題名は、『旧約聖書』ヨブ記四〇章以下に描かれている巨大な海の怪物の名からとられた。つまりホッブズは、国家を巨大な怪物として把握しているのであるが、しかし国家を有機体と類比して把握する国家有機体説をとるのではない。彼は動物を自動機械とみなし、人間の諸機能も機械をモデルとして理解しているのであって、機械論的思考がめだつのである。彼はベーコン（Francis Bacon, 1561-1626）――イギリス経験論、近代自然科学的思考方法の創始者――の秘書を一時務めたと伝えられており、経験的・実験的科学の思考方法を身につけていたと思われる。

彼によると、自然としてとらえられた人間は物体であり、その生命は運動にほかならない。外的物体が感覚の原因であり、それによって人間の各感覚器官が圧迫されると、そこに圧力に対する抵抗、すなわち「みずからを解放しようとする心の努力」が生じ、こうした感覚の運動によって外界の事物の「映像」や「想像」が得られる。また経験を通じて得られるこの「映像」の複合や継続、言語その他の「しるし」との結合などによって、記憶、理解、思考などの諸能力が生まれてくる。このように、ホッブズは感覚と経験とを基礎にして人間の諸能力・諸機能を説明し、それらが結局は人間の自己保存と自己拡張をめざす運動であることを説明しようとするのである。

2　ホッブズの〈社会契約論〉

†自然権と自然法

このような人間像を基盤として、国家がどのようにして、なぜ存立しているのかを明らかにしようとしたのが『リヴァイアサン』である。そのためにホッブズは、国家成立以前の状態、すなわち自然状態を想定してみる。そこでは人間は生まれながらにしてもつ権利、つまり「自然権」をもつとされる。

「著作者たちが一般に自然権（Jus Naturale）と呼ぶ自然の権利（The Right of Nature）とは、各人が、彼自身の自然すなわち彼自身の生命を維持するために、彼自身の欲するままに彼自身の力を用いるという、各人の自由である。したがって、彼の判断と理性とにおいて、そのために最も適当な手段と思われるあらゆることを行う自由である」。

このように、自然状態では各人は自由に力を用いて欲するものを獲得しようとする。しかも「自然は人間を、身心の諸能力において平等につくった」し、「この能力の平等から、われわれの目標達成についての希望の平等性が生まれてくる」から、同じ目標を獲得しようとする人間たちは、相互に敵として戦い、相手を滅ぼし屈服させるよう努めねばならない。こうして「万人の万人に対する戦い」（bellum omnium contra omnes）という状態が引き起こされることになる。

それゆえ、自然権の自由な発揮が許されている自然状態では、かえって本来の目的である自己保存・自己拡張ができなくなる。つねに恐怖と死の危険にさらされ、所有物を確保できない生活は、悲惨なものとなる。したがって人びとはこの不断の戦争状態を脱して平和へ向かおうとする。そのさいに理性は、平和について都合のよい諸条項を示す。この諸条項が「理性によって発見された戒律または一般法則」である「自然法」（Lex Naturalis, a Law of Nature）である。その内容は「各人は、平和を獲得する望みが彼にとって存在する限り、それへ向かって努力すべきであり、そして彼がそれを獲得できないときは、戦争のあらゆる援助と利益とを求め、かつ用いてよい」というものである。その前段が「基本的自然法」であり、後段は自然権の要約である。したがってホッブズにおいては、自然権と自然法とは実際上、相反する命令を下すことになる。いいかえれば、自然法はつねに自然権を制約し拘束するという性格をもっている。自然権による自由で直接的な目的追求が、かえって目的に反する結果をもたらすから、その目的を達成するよう自然法が自然権を制約するのである。したがって、自然法は自然権に基づく自然権の自己制約と解することができる。それゆえ第二の自然法は「他人が彼に対してもつことを彼が許すような自由を、他人に対して自分がもつことで満足すべきである」と述べられる。

†社会契約と公共権力

人びとは戦争状態を脱するために、自然法に従って契約を結び、社会を形成する。契約は相互に権利を譲渡することである。しかし、人びとが社会契約を結ぶといっても、その契約は放任しておいても維持されるものではない。われわれの自然的情念は自然法を破るように働きかける。それゆえ自然法が守られるためには、人びとに恐怖の念を抱かせ服従させるような力を創設することが必要となる。この巨大な公共権力を創設する方法は、人びとが同意によって一人の人物または一合議体に自分の力を譲渡することである。

「多数決により彼らすべての意志を一つの意志に帰するために、各人はすべての力を一人の人物か一つの合議体に譲渡する。それはつまり、彼らの人格を体現する一人の人物または一合議体を指定することにほかならない。……このことがなされたとき、一人格にこのように結合された集合体は、〈国家〉（Commonwealth）、ラテン語でいえば〈キヴィタス〉（Civitas）と呼ばれる。これがあの偉大なリヴァイアサンの誕生である」。

こうして国家が成立したとき、契約によって権威づけられた統一的人格の保持者または代表者は「主権者」と呼ばれ、その他の人びとは「臣民」と呼ばれる。そして主権者は、臣民が契約に従って義務を尽くすよう強制する権力をもつことになる。この場合、全人民の人格を代表する権利が主権者に与えられるのは、臣民相互間の契約によるのであって、主権者と彼ら臣民との契約によるのではないから、臣民は契約の失効を理由に服従を拒否できないことになる。つまり、一度契約が成立した以上、臣民は自分が本来もっていた無制限の権利を全面的に主権者に委ねたわけであり、主権者に絶対的に服従しなければならないのである。したがってまた、主権者の権力は絶対化され、専制的な性格をもつことになる。主権者もまた自然法に従い、臣民の生命と快楽との増進に努めねばならないわけであるが、しかし国法は主権者自身のつくったものであるから、彼は国法によって制約されることはなく、まさに絶大な権力を保持すると説かれるのである。

†二重の立場

こうしてホッブズは、個人的人間論↓自然権↓自然法↓社会契約↓国家成立という理論的操作を通じて、結論として絶対主権論を導きだしたのであった。このホッブズの主張のうち、〈主権を導出してくる過程〉、すなわち平等な諸個人の自然権から出発して、自然権（自己保存と自己拡張）の貫徹のために社会契約を結び、諸個人のために国家をつくったという〈理論的構成〉は、当時としては独創的ともいえる新しい構想を示しており、後にみるように、それはロックやルソーらの近代市民政治論を支える方法的支柱となり、近代市民たちの民主主義的社会観・国家観の基本的原型として継承されていくことになる。

しかしその反面、そうした理論構成によって導きだされたものは一種の専制的権力であった。絶対主権に基づく強力な国家権力が主権者の手に集中される。もちろん、この主権者は専制君主に限られるわけではなく、理論的にはだれでもよいことになる。しかし、だれが、またいかなる合議体が主権者になろうとも、なんの拘束もなく国家権力をほしいままにすることができるのである。民衆は、ひとたび社会契約によって自然権を主権者に委ねたからには、絶対的服従しかないことになる。それゆえ、ホッブズは、主権導出の過程・理論においては民衆の立場にありながら、結論においては支配者の立場にあるわけであり、二重の立場に立っているといえる。したがってまた、彼が絶対化した主権が具体的に伝統的な国王に帰せられるのか、人民の代表者に帰せられるのか、明確でない。

前に述べたように、ホッブズは王党派と反王党派（ピューリタン）との中間の位置に立っていたし、ピューリタン革命を遠くから観察（傍観）していた。つまり、彼の理論は、両方の立場に適用できるような性格をもっているのである。彼は社会現象を抽象的な一般的立場から観察し、そこに働いている論理をとらえ、社会的混乱の収拾策を提出しようとしたのであり、それはちょうど、自然科学者が自然を観察し、その論理（法則）をとらえ、それによって自然を制御しようとするのと類似している。経験科学的方法がホッブズの思索の基礎となっているように思われるのである。

3　神による平等な人間の創造――レヴェラーズの社会思想

では、ピューリタン革命を推進していた人びとのなかには、注目すべき社会思想は形づくられなかったのであろうか。ホッブズと比較すれば、理論的には未熟であるが、リルバーン（John Lilburne, 1614–57）の思想が注目される。クロムウェル（Oliver Cromwell, 1599–1658）に率いられた議会側の軍隊は、革命の推進に大きな役割を演じたが、この軍隊のなかに革命の路線についての意見の対立が現れた。クロムウェルを中心とする「独立派」（Independents：各教会の独立性・自律性を主張するピューリタン分派）が穏健な漸進的革命路線を採ったのに対して、急進的な下級将校・兵士のグループである「水平派」（Levellers）は徹底した民主主義革命を主張した。

このレヴェラーズの理論的指導者であったリルバーンは、熱烈なピューリタンで、国教会の司教制度を攻撃したために、一六三七年から四一年まで投獄されたが、その後、議会側の軍隊に参加し、四五年に『イングランドの生得権』というパンフレットを公刊した。そのなかで、一〇六六年のノルマン人のイングランド征服（Norman Conquest）以前のイギリスではサクソン法が人民と支配者との契約を基礎づけていたし、それがコモンローや「大憲章」（Magna Charta）のなかに生きているという法学者コーク（Edward Coke, 1552-1634）の見解に依拠しながら、リルバーンはこの「大憲章」を根拠として人民の自由と権利を主張し、成年男子の普通平等選挙権、議会の権限強化を要求した。そして翌年に公刊した『自由人の自由擁護』では、神が人間を平等なものとして創造したとし、個人の自然（生命）を根拠として権利の平等を主張した。

一六四七年に開かれた「パトニー討論会」では、「独立派」と「水平派」とが、それぞれの革命路線を主張した。「水平派」は、リルバーンの思想に基づいて徹底的な民主主義の実現をめざすべきだとした。選挙権について「独立派」の代表者は、「この国に恒久的な固定した利害をもつ者」に限定すべきだとし、不動産所有者、具体的には農村の自由保有者と都市の自由民に限るべきだと主張した。それに対し「水平派」は、「イングランドの最も貧しい人も、最も偉い人と同様に生きるべき生命をもっている」という自然権に立脚して、全人民の完全な同意・契約に基づく政府を樹立すべきであり、そのため、完全に「他人の意志に従属している」少数の者を除き、すべての成年男子の普通平等選挙を実行すべきだと主張した。そして議会が国民の共通の権利・自由・安全の基礎を否定したときには、人民が一種のリコール権をもつことを主張するのである。

また議会制度をはじめとする国家機構について「独立派」は、制度・機構そのものに欠陥はないとして、さしあたり国王・貴族院・庶民院という国家体制のままで、運営技術上の改革を実行することを主張した。それに対し「水平派」は、現存の国家体制をいわば「自然状態」にまで徹底的に解体したうえで、自然権に基づき平等と理性によって再編成すべきだと主張する。そのさいに彼らは、ノルマン人のイングランド征服以後、アングロサクソンの自由が喪失したとし、ノルマン人の征服以前の状態を自然状態としてとらえるのである。

リルバーンの思想は、神による平等な人間の創造という信仰を最終根拠としており、理論的にはまだ十分に整備されていない。しかし、民主主義の核心的部分が示されていることは注目に値するであろう。ピューリタン革命は、結局「独立派」の主導権のもとで実現され、「水平派」は弾圧されて、その革命路線は捨て去られたのであるが、そこに示された方向づけは歴史を貫いていくことになる。

ベーコン（Francis Bacon, 1561-1626）

イギリスの名家に生まれ、一五七三年ケンブリッジ大学に入学、七五年に卒業、グレーズ・イン法学院で法律を学び、九二年法廷弁護士となった。国会議員や検事総長などを歴任した後、一六一八年には大法官およびヴェルラム男爵に任命された。三年後に汚職のため、国会から有罪の宣告をうけ、公職を退いた。

彼の書いた『新機関』（一六二〇）は、従来の学問が古い「イドラ」（偶像）にとらわれて抽象的思弁にふけっていた点を批判し、「実験」に基づいて個々の事例を比較・吟味して自然の一般法則を探究する方法（科学的帰納法）を提唱した。そして自然改造の壮大な計画を示そうとしたのである。

その第一部は科学の分類、第二部は『新機関』、第三部は宇宙の現象、第四部は知性の段階などとなるはずであった。

➜コーク（Edward Coke, 1552–1634）

イギリスのマイルハムに生まれ、一五六七年から七一年までケンブリッジ大学に学び、さらにリンカンズ・イン法学院で法律を学んで法廷弁護士となった。

エリザベス一世時代の法務長官として数多くの公訴を指揮した。一六〇六年、ジェームズ一世によって民訴裁判所の首席裁判官に任命されたが、コークは、国王にはコモンローを解釈する権利があるかという問題などで、国王と対立し、一六年に公職から追放された。二一年に下院議員となり、下院での国王反対派の指導者として活躍した。二八年、下院が王権に制限を加えようとしたとき、コークは課税や拘禁中の人物に対する告発には、議会の同意を要するという条項を主張した。

著書としては『法学提要』全四巻があり、不動産保有権、諸法令、刑法、裁判所の権限などを取りあげている。

第4章　民主主義思想の発展

1　イギリスの市民革命——名誉革命とジョン・ロック

†名誉革命

一六四九年、イギリスではクロムウェルによって「共和国」の設立宣言がなされたが、現実の動揺はおさまらなかった。クロムウェルは議会を中心とする新政治機構を建設しようとしたが、中産階層の保守化と下層大衆の尖鋭化に悩まされ、ついに一六五三年には四〇年以来一三年間続いた「長期議会」を解散し、軍事的独裁を樹立した。五三年に全国独立派教会の推薦によって成立した「ベアボーン議会」は軍政部の政治的意図と一致しなかったので、約半年で解散され、以来いわゆる「護民官政治」が開始されたのである。この軍事的独裁に反対し、民主主義的な「民衆政府」の樹立を主張したハリントン（James Harrington, 1611–77）などの共和主義者が現れたが、多くの国民は独裁への不満からむしろ懐古的な方向に流れ、一六六〇年にはチャールズ二世を迎えて「王政復古」（Restoration）を実現したのであった。もちろん、この復古は完全な復古ではなく、ブレダの宣言によって国王と議会との勢力均衡の上に立つ立憲君主制が成立したのである。しかし、その後三〇年もたたないうちに、イギリス国民はふたたび国王を追放し、一六八八年にいわゆる「名誉革命」（Glorious Revolution）を遂行しなければならなかった。チャールズ二世の後を継いだジェイムズ二世が絶対王政を復活しようとしたからである。

一六八八年、議会はオレンジ公ウィリアムを王位に迎え、「権利宣言」を承認させて課税と立法の権利を議会の手に確保し、翌年「権利章典」（Bill of Rights）として公布したのであった。こうしてイギリス市民革命は完了し、近代市民の政治的・経済的主導権が確立されるにいたったのである。

現実はこのように波瀾に満ちながらも落ち着き、近代市民社会が明瞭な姿を現し、近代市民の主導権が確立されることになったのであるが、こうした現実に対応して、近代市民の人間像をホッブズよりも純粋なかたちで社会思想に形象化し、「名誉革命」

の理論的基礎づけをしたのがロック（John Locke, 1632-1704）であった。「名誉革命」がイギリス市民革命の〈現実上〉の総決算であったとすれば、ロックの社会思想はイギリス市民革命の〈思想上〉の総決算だったのである。

†ロックとピューリタニズム

ロックの父はピューリタンで一六四二年以来の内乱にさいしては議会側の軍隊に参加した。それゆえ、ロックはピューリタニズムの信仰のもとで育ったのである。しかし、一六五二年秋、オックスフォード大学のクライスト・チャーチに入学して哲学、政治などを学び、卒業後さらに自然科学者ボイル（Robert Boyle, 1627-91）や医学者シデナム（Thomas Sydenham, 1624-89）と親交を結び、自身も化学や医学の研究を行うなど、自然科学的・経験主義的思考方法を身につけると、ピューリタニズムに対し一定の距離をもつようになった。一六六六年にホイッグ党の中心人物アシュリー卿（後のシャフツベリ伯）と知り合い、以来、彼の友人兼侍医として公私の生活を共にするようになった。一六八二年、シャフツベリ伯は政治的に失脚し、陰謀に参画したという疑いをかけられてオランダに亡命したため、ロックもまた八三年から八九年までオランダに亡命生活を送った。そこで閑暇と友人に恵まれ、思索を進めて政治・経済・

道徳・認識論についての彼独自の見解を洗練し、一六八八年に「名誉革命」がなされると翌年帰国し、その後続々と著作を発表したのであった。

2 ロックの社会観・国家観——自然状態

†『統治論二篇』

ロックの社会観・国家観が示されているのは『統治論二篇』(*Two Treatises of Government*, 1690) である。その第一論文はフィルマー (Sir Robert Filmer, 1589-1653) およびその信奉者に対する批判を展開したものである。フィルマーは『父権論』(*Patriarcha*, 1680) などの著作のなかで一六四〇年前後に王権神授説の立場から政治的服従を説き、国王と王党派の代弁者として活躍した人物である。一六六〇年の王政復古以後、国教会および貴族・保守的な地主層・商人層に支持された政党「トーリー党」は、このフィルマーの思想を、政敵「ホイッグ党」と闘うための理論的武器としていたのであった。主としてピューリタン、産業資本家に成長した生産者層・近代的地主層に支持された「ホイッグ党」もまた、それに対抗する理論的武器を待望していた。「ホイッグ党」の指導者シャフツベリ伯と親交のあったロックは、まさにその待望に応えるべくこの書を出版したのである。

フィルマーが国王の支配権の絶対的・神授的性格を導きだしたさいの手続きは、①子に生命を与えた両親――とくに父、族長――が絶対的支配権をもつ、②それゆえ最初の人間アダムが一族の長として絶対的権力を神から授かったと考えられねばならない、③その絶対的権力が長子相続権によって代々の父（族長）すなわち君主に受け継がれてきた、④それゆえ現在の君主すなわち国王のもつ政治権力は、かつてアダムがもったのと同じ神授的・絶対的権力である、というものであった。

ロック

それに対しロックは、『聖書』の批判的検討を行うことによってフィルマーの所説が事実に反することを立証し、家長の権力は子どもの養育と教育の義務に伴うものにすぎないこと、相続権は本来すべての子どもに分与されるべきであること、などを主張している。
ここで注目されるのは、ロックが子に対する父の絶対的支配権を否定する根拠として、すべての人間は神によってつくられ所有されているからこそ、侵すべからざる尊厳をもつと述べている点である。父が子を支配するのは、子において神を支配することを意味するから排されねばならないと語られる。そこには、人間の被創造性と被所有性とを通じて各人をそれぞれ神に直結させ、この直結によって人間相互の支配関係を切断し、基本的に平等な権利をすべての人に保障するという論理が、はっきり示されている。この論理は、ピューリタニズムによって内面化され個人主義化された信仰を基礎にして、はじめて可能となったものといえよう。

†自然状態

第二論文において、ロックは独自の社会観・国家観を展開する。彼はホッブズとは異なり、人間の本性を社会的・理性的であるとし、したがって自然状態においても自由で平等な状態が自然法によって実現していたとする。ロックは自然状態について次のように述べている。

「それは、自然の法の枠を越えない限りでは、ほかのだれにも許可を求めず、あるいはほかのだれの意志にも左右されず、自分の考え一つでよしとしたところに従って自分の行動を営み、また、それに従って自分の財産と身柄とを処理するという、完全な自由の状態である」。

「それはまた、平等の状態でもある。すなわち、この状態では、権力と司法権とは、だれもがこれを相手の上に振るう。そして、他人より多くこれをもっている者は一人もいない」。

「しかしながら、これは自由な状態ではあるが、放縦の状態ではない。この状態にある人間は、自分の身柄や財産を処理するについて、なんの制約も受けない自由をもつ。しかし、それの単なる保存以上に尊い目的に捧げられる場合を除いては、人間はわが身はもちろん、所有しているいかなる生物をも殺傷する自由をもたないのである。自然状態には、この状態を支配する自然の法があり、これが各人を拘束する。自然の法である理性は、もっぱら理性だけに助言を求める全人類に対して、万人は平等で独立しているものであり、それゆえだれでも他人の生命、健康、自由、財産のうえに損傷を加えてはならぬ、と教えているのである」。

「自然状態と戦争状態とがまったくかけ離れたものであるのは、ちょうど、平和、善意、相互協力、保存という状態と、敵意、暴力、相互破滅という状態とが互いに異なるのと同じである。人びとが理性に従って集団生活を営み、ただ人びととのあいだを裁く権威を備えた共通の優越者を地上にもたないのが、まさに自然状態なのである」。

このように、ロックは自然権と自然法とが自然状態において一つの調和を実現していると考える。そこでは、すべての人が〈自然法〉である理性に従って自由・平等であり、相互に支配・服従の関係をもたず、自由な労働や占有によって自分の財産を取得し、自由に処分する権利を〈自然権〉としてもつとされる。それゆえ、自然状態は戦争状態ではなく、平和状態なのである。

このように自然状態が理想的なものであるとすれば、なぜ人びとは自然状態を放棄して政治社会・市民社会を形成し、その支配・拘束を受けるのであろうか。ロックによると、自然状態においては、〈所有権——生命・自由・財産を総括して彼はこう呼ぶ——の確実な保障〉が欠如しているからである。自然状態では、すべての紛争を決裁する成文法、公平な裁判官、判決を正しく執行する権力が欠如しているので、所有権が確実に保障されないのである。したがって人びとは、自然法によって与えられている個人的な執行権力・処罰権力をいちおう放棄し、それを契約によって公共的なものに委託し、ゆるぎない法律によって所有権が確保されることを望む。そこで人びとは「合意を交わして一つの共同社会に入り一つの政治体をつくるという協約」すなわち社会契約によって「共同社会」を形成し、所有権を保障するために立法権を確立し、さらに執行権を確立する。そこに国家、政治社会、市民社会が成立するのである。

†信託的権力

ここで注目されるのは、立法権・執行権の確立にあたって、ロックが人民（人民の結合である共同社会）からの「信託」（trust）によると考えていることである。

「立法権力は、ある目的のために行動する一つの信託的権力にほかならない。したがって、立法権者が民衆から委ねられた信託に反して行動するようなことがあれば、立法権者を解任または更迭することができる至高の権力は、依然として民衆のなかに残っている。なぜなら、ある目的達成のために信託された権力は、すべてその目的によって制約されているのであって、したがってその目的が明らかに閑却され裏切られた場合は、いつどんな時でも、その信託は必ず取り消されねばならないし、権力は初めにそれを与えた人びとの手に戻されねばならないからである」。

こうしてロックは、「信託」という考えによって人民主権を基礎づけ、立法権と執行権と司法権を分立させるとともに、それらが人びとの自由・私有財産を確保し、人民の共通の福祉をめざすという目的に制約されていることを明らかにしたのである。

この場合、政治権力に対する民衆の服従は、権力所持者が社会契約の本来の目的に沿い義務を守る限りにおいて要求されるのであるから、権力所持者が民衆の自由や私有財産を侵害する場合は、民衆がそれに反抗し抵抗する権利（抵抗権）、さらには国家機構そのものを変革する権利（革命権）があることになる。ロックはそれらの権利について曖昧な態度をとっているが、理論的には当然そうした権利が人民にあることが導出されるのである。ロックの社会思想がヨーロッパ、アメリカへと普及していったとき、近代市民革命の理論的支柱となったのは、そうした事情による。そしてロックの場合、立法部は議会（貴族院と庶民院）、執行部は君主と考えられており、立憲君主制を理論的に基礎づけているが、立法権が最高の権力であり、執行権はそれに従属するものとされている。したがって、国民の投票によって成立し、多数決で運営される議会を中核とする民主主義国家の構想が、はじめてここに提出されたとみることもできる。

3　ロックの人間観――所有権・私有権の神聖不可侵

†所有権の基礎づけ

前にみたように、ロックは国家、政治社会の最大の目的は所有権の確保にあるとしていた。また自然状態における人間も、自然法に基づき自由な労働や占有によって自分の財産を取得し、自然権として自由に処分する権利をもつと考えていた。したがって、ロックの人間観・社会観の中核となっているのは、所有権・私有財産の取得と確保と処分ということにあったといえる。当時しだいに財産を拡大しつつあった新興市民層の人間観・社会観がそこに形象化されているのである。

それゆえ、この所有権・私有財産は、そもそもどのようにして生じたのか、それが個人のものとして承認される根拠はどこにあるか、ということが重要な問題となる。ロックはこの問題について次のように答えている。

「大地と、一切の下等動物とは、万人の共有物である。しかし人はだれでも自分自身の身柄に対しては所有権をもっている。本人を除いては、これに対する権利はほかのだれにも皆無である。彼の五体の労働と、彼の手の働きとは、まさしく彼のもの、ということができる。だとすれば、どのようなものでも、これを彼が、自然の手によって準備され放置されていたままの状態から動かせば、彼はこれに自分の労働を混入させ、またこれに自分自身のあるものを加えたわけであり、そしてこの行為によってこれを彼の所有物とするわけである。このものは、自然の手によっておかれた共有状態から、いまや彼の手で動かされたのであり、したがって、この労働によってそれにあるものが結びつけられ、このあるものが、他人の共有権を排除するのである。なぜなら、この労働は、労働する者の疑いもない所有物であり、したがって、いったん労働が加えられたものに対しては、彼以外のだれであろうとそれをとる権利はないからである。ただし、これは少なくとも他の人びとにも、なお十分な遜色のないものが残されている場合のことであるが」。

「樫の木の下でその実を拾い、あるいは森のなかでリンゴの実を集めて、これでわが身を養う者は、いうまでもなくこれらの実を自分のものとして専有したのである。この養いの糧が彼のものであることは、だれも否定できない。だとすれば、それはいつから彼の所有物になったのか。……だれの目にも明らかなことであるが、もしそれが最初の収集行為によって彼のものになるのでなかったら、ほかのなににによってもそれは不可能である。それが共有物と区別されたのは、収集という彼の労働による。万物の母なる自然でさえ付加できなかったあるものを労働がそれに付加したのだ。こうしてそれは彼が当然私有してよいものになったのである」。

ロックの論理は、自分の身体・身柄の所有権→身体の活動である労働の所有権→労働の成果・生産物（加工物）の所有権という筋道をたどっているわけであり、その背後にはあらゆる富・価値を生みだす源泉は労働であるという考えが潜んでいるといえるであろう。つまり、〈所有権・私有財産の神聖不可侵〉は、〈労働の神聖不可侵〉を根拠とし、そこから発しているのである。このように労働を富の源泉とし、労働の投下を所有権の根拠とするところに、前に述べた職業労働に救済の確証と神の栄光の実現とを見いだすプロテスタント（ピューリタン）のエトスが現れているといえよう。

†所有権の限界

労働を投下すると、共有物を私有財産とすることができるとすれば、人びとは労働を通じて私有財産を拡大していくことになるが、そこから当然、諸個人の所有権が互いに衝突し、他人の所有権の侵害や、所有権をめぐる紛争が起こることになる。ロックはこの問題の解決のために二つの考え方を提出している。

第一は、所有権の拡大に限界を設けるという考えである。ロックは、神はすべての物をどの限度まで私たちに与えたか、と問い、次のように答えている。

「楽しく消費する限り、である。つまり、物が腐敗しないうちに、どんな便益でも、とにかく生活上の便益が得られるように利用できる限度、この限度については、人間はだれもが、自分の労働によって所有権を固定できるのである。この限度を超えたものは、すべて彼の分け前以上のものであり、本来他人に属するものである。神が人間に、腐敗ないしは破壊させるつもりでつくったものは一つもないのだ」。このようにロックは、自然法である理性が、所有権の拡大に限界を設け、個人が直接に利用できないような私有財産をもつことを禁じているとする。しかし、この程度・限界が曖昧であることは、いうまでもない。ロックの考える「腐敗」する物だけが生産物であるわけではないし、自己消費のためではなく商品として売却されるために生産が行われ、財産が貨幣や金銀として蓄積されるようになれば、もはやロックの引いた限界は消滅してしまうのである。ロックがこのような限界を設けうると考えたのは、「労働と勤勉」によって直接得たものこそ、神から与えられた正当な報酬であるとする初期ピューリタンの心情が、彼のなかに生きていたからであろう。

第二の考えは、「一方の得は他方の損」という富の流通論的理解を克服するということである。たとえば彼は「自分の労働によって土地を専有する人間は、人類の共有財産を減少させているのではなく、かえってこれを増加させているのだ」と語っている。つまり、労働こそ富の源泉であるから、労働によって所有権を拡大しても、同時に労働による富の産出によって人類全体の富を増大させていることになる。したがって富の総体が固定している場合のように、一方の得が他方の損とはならないと考えるのである。この考えが成立するためには、富の分配が公平に行われ、個人の労働の成果がすべて当人に配分されることが必要となるが、実際は生産手段を保有する人びとと、保有していない人びとが存在する以上、実現されえないといえよう。

◆ハリントン（James Harrington, 1611-77）

イギリスの名門の家に生まれ、オックスフォード大学のトリニティー・カレッジに学んだ。一六三八年から翌年にかけて、チャールズ一世によって枢密顧問官に選任され、その後は国王の側近の一人として行動をともにした。

一六四九年に国王が処刑された後、共和主義者として財産所有者による理想国家を論じた『オシアナ』を発表した。そこの中では共和国に市民が多数政治に参加できるように、すべての官吏は一定期間だけ勤めて交代するとされている。財産所有者全員の選挙による元老院が置かれ、立法の任にあたる。そして法律が国民によって批准されたとき、選挙で選ばれた行政府が、それを執行するとされている。

第5章　啓蒙思想の展開とロマン主義

1　ロックから啓蒙思想家へ——フランスの人民主権と百科全書派

イギリス市民革命の思想的総括といえるロックの社会思想は、ヨーロッパ各国に伝えられ、とくにフランスでは、モンテスキュー（Charles Louis de Secondat Montesquieu, 1689-1755）、ヴォルテール〈Voltaire〈本名〉François Marie Arouet, 1694-1778〉という代表的な啓蒙思想家によって受けとめられた。モンテスキューは『法の精神』（*De l'esprit des lois*, 1748）のなかで、立法権、執行権、裁判権という三権を区別し、それらが同一人間または団体の手に合一されるならば、権力の濫用が現れ、人民の自由は喪失するとして「三権分立」を説いたが、そうした構想はすでにロックの社会思想にみられたものである。ヴォルテールも、ロックの思想をフランスに紹介し、意識のうえでの封建的な障害（迷信や偏見）を排除するよう努め、すべてを「理性の光」に照らして吟味する「啓蒙」の態度を貫いた。

そして一七五一年から八〇年にかけて出版された『百科全書』（*Encyclopédie*）は、そうした啓蒙思想をもつ人たちによって執筆された。この「百科全書派」（アンシクロペディスト）のなかには、ディドロ（Denis Diderot, 1713-84）、ダランベール（Jean le Rond D'Alembert, 1717-83）、などがおり、無神論や唯物論に近づく者もあった。社会思想としてはロックと近かった。社会・国家に先行する自由・平等な自然状態を想定し、そこでは制定された法律、公平な裁判官、判決を執行する権力が確定されていないので不安定であるから、人びとは自分の身体と財産を保全するために、みずからの自然権の一部を放棄し、特定の君主・権力に服従するという契約を結ぶ。それゆえ権力の合法的な根源は人民の同意にあることになり、権力が国家成立の目的に反して行使されるならば、それに反対する「抵抗権」が人民に与えられていることになる。「百科全書派」の人たちは「理性」の立場から、伝統的権威に対して容赦なく批判を加えるとともに、人民主権の立場をロックの社会思想から受けついだのである。

2　ルソーの『社会契約論』

†『人間不平等起源論』

啓蒙思想家のなかでも、ルソー（Jean-Jacques Rousseau, 1712-78）は独自の社会観・歴史観を示している。ルソーはスイスのジュネーブの時計屋の息子として生まれたが、すぐ母と死別し、一〇歳のときに天涯孤独となって、厳しい親方のもとに徒弟奉公し、一六歳のときジュネーブを去ってヨーロッパ各地を放浪し、貧困と隷属の生活を体験した。一七三一年からはヴァランス夫人の庇護のもとに独学で思索を進めた。一七五三年にディジョン・アカデミーの懸賞論文に応募するため『人間不平等起源論』（*Discours sur l'origine et les fondements de l'inégalité parmi les hommes*, 1755）を書いた。そのなかでルソーは、社会的特権を生むような「道徳的あるいは政治的不平等の起源」を解明しようとする。彼によると、自然状態における人間は、悪徳を知らない無垢の人であり、自己保存の関心とともに「憐れみの情」（pitié）を自然的感情としてもっていた。「憐れみ」は自分と相手とを同一視するところに生まれる。自然状態における人間は、自尊心を生じさせ個人を孤立させる理性や反省といった邪魔ものをもたないため、より密接に他人と自分とを同一視することができるのである。

やがて土地の私有が始まり、他人の労働の私有が行われるようになると、本格的な不平等が現れる。

「一人が他の援助を必要とした瞬間から、そして彼がただ一人で二人分の貯えをもつことが大いに役に立つことが気づかれるようになったときから、平等は消失し、私有が導入され、労働が必要となり、そして広大な森林はすばらしい田畑に変じ、これを人びとの汗で灌漑しなければならなくなった。まさにそこに、やがて奴隷制と貧困とが収穫とともに発芽し成長するのがみられたのである」。

ルソー

こうして不平等と隷属の状態が現れ、そのために暴力で相手を倒し合う戦争状態がもたらされる。この悲惨な状態を脱するために、人びとは「正義と平和の法」を設定し、最高権力に各自の力を統合した。しかし、こうしてできあがった社会と法律とは、

「弱者に新たな桎梏を、富者に新たな力を与え、自然的自由を永久に破壊してしまい、私有および不平等の法律を永久に確定し、狡猾な簒奪を取り消すことのできない権利とし、そして若干の野心家の利益のために、以後全人類を労働に、隷属に、そして貧困に服従させることになったのである」。

当時の啓蒙思想家は一般に、歴史を自由の実現に向かう「進歩」の過程と考えていた。それに対し、ルソーは歴史を、自由と共同が両立していた自然状態から、しだいに不平等、隷属、貧困へと「堕落」してきた過程ととらえるのである。ルソー自身の少年期の貧困と隷属の生活体験が活かされているといえよう。

†社会契約と一般意志

では、この堕落した状態から離脱し、自由と共同との両立を実現するためには、どうしたらよいのであろうか。この問題に取り組んだのが、有名な『社会契約論』(*Du contrat social ou principes du droit politique*, 1762) にほかならない。

「人間は自由なものとして生まれた。しかもいたるところで鎖につながれている」という文章で始まるこの著書で、ルソーは革命的民主主義ともいうべき国家理論を展開している。彼にとっての根本問題は、

「各構成員の身体と財産を、共同の力のすべてをあげて守り保護するような、結合の一形式を見いだすこと。そしてそれによって各人が、すべての人びとと結びつきながら、しかも自分自身にしか服従せず、以前と同じように自由であること」である。

この難問を解決するのが、ルソー独自の社会契約である。それは「各構成員をそのすべての権利とともに、共同体の全体に対して全面的に譲渡すること」という条項に要約される。すべての人が無差別に共同体へと自分を全面的に没入させるならば、自分と共同体とは一体となるから、そこでは——共同体の意志に服従することは自分自身の意志に服従することを意味するから——完全な自由が確保されると同時に、完全な結合・共同が実現することになる。共同体として結合した人民の意志は「一般意志」(volonté générale) と呼ばれる。したがって、社会契約の本質は、

「われわれの各々は、身体とすべての力を共同のものとして一般意志の最高の指導のもとにおく。そしてわれわれは各構成員を、全体の不可分の一部として、ひとまとめとして受けとるのだ」

という点につきるのである。

こうして全構成員が直接に全面的に参加している精神的で集合的な団体がつくられ

る。この団体は共同の自我、生命、意志をもつ。そしてこの公的な人格こそ、受動的には構成員から「国家」と呼ばれ、能動的には「主権者」と呼ばれるものにほかならない。その構成員は、集合的には「人民」、個々には主権に参加する者として「市民」、法律に服従する者として「臣民」と呼ばれる。

†自由への強制

ルソーによれば、社会契約によって個人は共同体の不可分の一部となるのであるが、その場合、各個人の特殊な利害の立場は完全に克服されるのであろうか。

「じっさい各個人は、人間としては、一つの特殊意志をもち、それは彼が市民としてもっている一般意志に反する、あるいはそれと異なるものである。彼の特殊な利益は、公共の利益とはまったく違ったふうに彼に語りかけることもある。……したがって、社会契約を空虚な法規としないために、この契約は、何ぴとにせよ一般意志への服従を拒む者は、団体全体によってそれに強制されるという約束を、暗黙のうちに含んでいる。そしてこの約束だけが他の約束に効力を与えうるのである。このことは、（市民は）自由であるように強制される、ということ以外のいかなることをも意味していない」。

したがって「一般意志」のあり方がきわめて重要になる。個人の特殊意志の総和である「全体意志」(volonté de tous)は、諸個人の「私の利益」の集合にすぎないから、「一般意志」とは異なる。全構成員が全面的に参加することによって形成される「一般意志」は「共通の利益」だけを心がけ、つねに誤ることがないとされる。

†直接民主制の問題

だが、すべての人民が直接に参加することは実際上困難であるから、選挙によって議員を選出する代議制を採ることが考えられるが、ルソーは代議制を厳しく批判する。「主権は本質上、一般意志のなかに存在する。しかも一般意志はけっして代表されるものではない。一般意志はそれ自体であるか、それとも別のものであるかであって、けっしてそこに中間はない。人民の代議士は、だから一般意志の代表者ではないし、代表者たりえない。……イギリスの人民は自由だと思っているが、それは大間違いだ。彼らが自由なのは、議員を選挙するあいだだけのことで、議員が選ばれるやいなや、イギリス人民は奴隷となり、無に帰してしまう」。

したがってルソーの場合、全人民の参加の場、機構を必要とするわけであるが、多数の人民から成る国家では、その実現はほとんど不可能に近い。そこに直接民主制のもつ困難がある。しかし、都市程度の規模の小国であれば可能であろうし、地方自治体が直接民主制を採用し、その積重ねとして国家を形成するということも考えられる。とにかく、ルソーが現存国家を貧困と隷属の人民から成るとして鋭く批判し、自由と共同が両立する国家を対置したことは、当時の人びとに強烈な衝撃を与えたのであり、フランス革命を引き起こす一つの導火線ともなったのである。

3 カントの「啓蒙」からロマン主義――ドイツでの開花

†ドイツでの上からの啓蒙

一七四〇年にプロイセン王国の国王に即位したフリードリヒ二世（フリードリヒ大王）は富国強兵の政策を推進するとともに、フランスからヴォルテールを賓客として招くなど、啓蒙思想の導入に努め、教育制度を整備した。このようなドイツの上からの啓蒙のあり方を、思想として提示したのはカント（Immanuel Kant, 1724–1804）である。『啓蒙とは何か』（*Beantwortung der Frage: Was ist Aufklärung?* 1784）という論文は、啓蒙を定義することから始められる。

「**啓蒙とは、人間が自分の未成熟状態を脱却することである。しかしこの状態は人間がみずから招いたものであるから、人間自身にその責任がある。未成熟**とは、他人の指導がなければ自分の悟性を用いられない状態である。またこのような未成熟状態にあることが**人間自身に責任がある**というのは、未成熟の原因が悟性の欠如にあるのではなく、他人の指導がなくても自分からあえて悟性を用いようとする決意と勇気とを欠くところにあるからである。だから、〈あえて賢くなれ！〉〈自分自身の悟性を用いる勇気をもて！〉――これが啓蒙の標語である」。

このようにカントは、人間が自分の悟性・理性を使用することを求めるのであるが、同時に理性の使用には二種類があるとし、理性の「公的使用」は自由でなければならないが、理性の「私的使用」は著しく制限されてよいと説く。理性の「公的使用」とは、ある人が学者として、一般の読者全体の前で、自分自身の理性を使用することを意味する。それに対し、理性の「私的使用」とは、公民としてある地位または公職に任じられている人が、その立場で自分の理性を使用することである。カントによると、公共体を構成している成員は、論議などする必要はなく、ただ服従するだけでよい。それゆえ、フリードリヒ大王の「いくらでも、またなにごとについても意のままに**論議せよ**、しかし服従せよ」という言葉は、この意味で正しいというのがカントの見解である。

ここでは公共体の構成員のみについて述べられているのであるが、広く解釈すれば、国民はすべて公民として政治的支配体制のなかに位置づけられ、その限りで国民は自分の理性を用いれば、それは「私的使用」となり、著しく制限されることになる。結局は政治権力に対しては服従あるのみということになろう。そして少数の知識人・学者は自由に自分の理性を使用し、政治権力にとって無害な論議を展開する。これがカントのいう啓蒙なのである。そこには、上からの啓蒙というドイツの特殊性が、はっきり示されているといえよう。

†ロマン主義の登場

啓蒙思想は、一般に自然科学に基礎づけられた理性の立場から、伝統的なものに含まれる非合理、迷信を批判し、個人の自由を重視し、国際的な見地を保持していた。このような傾向に対して反対する動きがドイツに現れた。それはまた、フランス革命に対する反動でもあった。

フリードリヒ・シュレーゲル（Friedrich von Schlegel, 1772–1829）は兄ヴィルヘルム（August Wilhelm von Schlegel, 1767–1845）とともにイエナでロマン主義文学運動を起こし、雑誌『アテネウム』(*Athenäum*, 1798-1800)を拠点にして活躍した。かなり多くの文学者が共感を示し、知識人のなかでもロマン主義的傾向をもつ人が少なくなかった。ロマン主義は客観に対する主観の絶対的自由を主張する。またそれだけでなく一般に、理性では真の現実をとらえられないとして、感情、直観、情念を重視し、伝統的なものを讃美し、ドイツ固有のもの、民族の有機的結合を再評価しようとする。したがって、これは一種のナショナリズムであり、ややもすると排外的愛国主義に陥る傾向をもっている。しかし啓蒙思想が迷信を攻撃することを通じて、宗教そのものを否定する無神論にまで進むことに危惧を感じていた人びと、伝統的なものが容赦なく破壊されることを恐れていた人びとに、ロマン主義は歓迎されたのである。

↓ヴォルテール〈Voltaire〈本名〉François Marie Arouet, 1694-1778〉
パリに生まれ、一七〇四年から一一年までイエズス会のルイ・ル・グラン学院で教育を受けた。ここで彼は、驚くべき詩の才能を示し、演劇への情熱を養った。
彼は、ソフォクレスやコルネイユに対抗して、『エディプス王』を書き上げた。この戯曲は一七一八年にパリで上演され、大成功を収めた。

彼は一七二六年から二九年までの三年間イギリスに滞在し、イギリスの思想、とくにジョン・ロックとニュートンの思想を学び取り、『哲学書簡』を発表した。そこで彼が強調した「寛容の精神」は、形而上学的な独断論に対抗するものであり、自然科学的な認識の相対的な真理にとどまろうとする態度を示している。

ディドロ（Denis Diderot, 1713–84）

フランスのシャンパーニュ地方に生まれ、イエズス会のルイ・ル・グラン学院などで学び、一七三二年パリ大学で哲学と古典の教授資格を獲得した。一七四六年『百科全書』の刊行を企画し、編集責任者になった。それは地上に散在している正しい知識を集大成することをめざすものであり、「啓蒙」の立場を貫こうとするものであった。『百科全書』は一七五一年ダランベールの序論と第一巻が出版され、翌年第二巻が刊行されたが、神学者からの反対にあい一時中断された。やがて出版は再開され、一七六五年には第一七巻、七二年には図版一一巻が完成した。

彼の著作としては『哲学的思索』（一七四六）、『盲人書簡』（一七四九）などがある。

ダランベール（Jean Le Rond D'Alembert, 1717–83）

フランスの数学者、哲学者。二二歳で科学アカデミーに論文を提出して認められ、役員となる。代数学で「ダランベールの定理」を発見し、また解析力学の創始者として「ダランベールの原理」を『力学論』（一七四三）に発表した。ディドロの『百科全書』の協力者となり「序論」を書いた。一七五五年アカデミー・フランセーズの会員となった。

哲学者としては、懐疑論、実証主義の方向を示している。数学については、経験論的に解釈し、物体の空間性だけを抽象して究明するとき幾何学が生まれ、空間部分の諸関係を究明するとき数論、代数が生まれると考える。道徳学においては自然法学説に従っており、歴史については人類の進歩の観念を保持している。

❖カント（Immanuel Kant, 1724-1804）

ドイツのケーニヒスベルクに生まれ、同地の大学で神学、哲学を学んだ。一七五五年ケーニヒスベルク大学私講師となり七〇年に正教授となった。

『純粋理性批判』（一七八一）、『実践理性批判』（一七八八）、『判断力批判』（一七九〇）という三批判書が有名であり、後世に大きな影響を与えた。

『純粋理性批判』は、認識が真であるための条件を明らかにし、その条件に基づいて従来の形而上学の真偽を解明する。『実践理性批判』は、道徳的実践においては理性が感覚に基づかずに意志を無条件に決定できるとし、そこでは自然の因果性を超えた「自由」が事実となると説く。『判断力批判』は、目的論に基づいて美学と生命論と歴史哲学を統一しようとする。

第6章 「市民社会」への反省

1 スミスの「労働価値説」

†労働が富の源泉

「名誉革命」によって政治的・経済的主導権を確保したイギリスの市民たちは、経済的活動の自由をしだいに拡大しつつ、資本主義的体制を築いていった。このような「市民社会」の展開に伴って、貧しい労働者や農民が長時間勤勉に働いても、生活を維持できないといった社会問題が深刻になってきた。したがって「市民社会」のあり方についての反省も深められることになった。経済学的観点から「市民社会」の構造と機能に照明をあてたのは、スミス（Adam Smith, 1723-90）である。『諸国民の富』

（『国富論』、*An Inquiry into the Nature and Causes of the Wealth of Nations*, 1776）は次のような文章で始められている。

「あらゆる国民の年々の労働は、元来その国民に、それが年々消費する生活の必要品と便益品とを供給する資源であって、この必要品と便益品とは、この労働の直接の生産物であるか、あるいはその生産物で他国民から買い入れたものである」。

ここでスミスは、明瞭に、そして大胆に「労働」（labour）こそ富の源泉であるということを宣言するのである。重商主義者は、国民の富が貿易の差額によって得られた貴金属にあるとしていたし、それに反対した重農主義者ケネー（François Quesnay, 1694-1774）の場合も、根底に「土地は富の母」という観念があり、農業労働のみが「純生産物」を生むという曖昧さがあった。それに対し、スミスは「労働」を一般的に無差別にとらえ、それを富の基礎とするのである。

スミス

このスミスの立場は、交換価値の真の尺度を労働の量に求めるというところにも表れる。彼にとって社会は、商品生産者によって構成される「商業社会」(commercial society)を意味した。この社会では、すべての生産物は商品として交換されることが予想されているから、その交換にさいして価値を決定するものが問題となる。スミスはそれを労働の量に求めるのである。彼はこの労働の量ということを、二つの意味に解している。その一つは、商品がその所有者に購入あるいは支配させる労働の量という意味(支配労働価値説)である。もう一つは、商品の生産に費される労働の量という意味(投下労働価値説)である。スミスは次のように述べている。

「すべての物の実質価格、すなわちすべての物がそれを得ようと望む人に実際に支払わせるものは、それを得るための労苦(toil)と骨折り(trouble)である。すべての物は、それを得てそれを売却し、またはそれを他の物と交換する人にとって、実際にどれだけの値があるかといえば、それはそれによって彼がみずから省くことができる労苦と骨折りであり、またそれが他人に課することができる労苦と骨折りである。貨幣または商品で物を買うとき、それは労働をもって買うのであり、それはわれわれによる物の獲得が自分の肉体の労苦によるのと同じことである。この貨幣やこれらの商品は、たしかにわれわれにこの労苦を省いてくれる。それらには一定量の労働の価値が含まれているから、われわれはそのときに同量の労働の価値を含

む と考えられる物と交換するのである。こうして労働は最初の価格であり、あらゆる物に対して支払われる本源的購買貨幣であった」。

ここでは「投下労働価値説」が「支配労働価値説」と癒着しているが、労働の量が価値を決定するという考えが、はっきり表れている。生産者である市民の労働観がそこに示されているといえよう。

†初期未開の社会

スミスは、このように労働を基礎とし、その量を尺度とした交換を考え、それが自由に平等に行われていた社会を「初期未開の社会」(early and rude state of society) と呼び、一種の理想社会として描くのである。

「資本の蓄積と土地の私有に先立つ初期未開の社会においては、種々の物品を得るために必要とされる労働量の割合は、それらの物品を相互に交換するための尺度となりうる唯一の事情であったと思われる」。

そこでは、たとえば一頭のビーバーを殺すのに二頭の鹿を殺すだけの労働がふつう必要だとすれば、一頭のビーバーは二頭の鹿と交換されるであろう。また労働の時間だけでなく、その激しさという質も考慮され、さらにまたその技術の習得に必要な時間の差も考慮されて交換が行われていたであろう。つまりそこでは自由に労働が行われ、平等に交換されていた。したがってまたこの社会では「労働の全生産物はその労働者に属した。彼はともに分かつべき地主も主人ももっていなかった」。

2 神の「見えざる手」——自然的自由の制度

†「商業社会」での労資対立

このような自由で平等な自然状態は、やがて土地の私有と資本の蓄積が始まるとともに崩壊する。労働の生産物のなかから、第一の控除として地代が、そして第二の控除として利潤が差し引かれねばならなくなるからである。この新しい社会、つまり「商業社会」では、労働者は投下した労働量と同じだけの量を含む生産物を、交換によって獲得することはできなくなる。

また、土地の私有と資本の蓄積が進むにつれて、大所有者と小所有者・無所有者との差がますます大きくなり、両者の対立が引き起こされる。

「大財産があるところには必ず大不平等がある。一人の富者があるためには、五〇

○人の貧者がなければならず、少数の富裕には多数の貧窮は免れない。富者の富裕は貧者の怒りをかい、貧者は欠乏の衝動によりあるいは嫉妬の感情に動かされて富者の所有物を侵すにいたる。多年の、またはおそらくは多くの世代にわたる相ついでの労働により得たあの貴い財産の所有者が、一夜でも枕を高くして眠ることができるのは、市民的治安府の庇護があるからこそである。彼はつねに見知らぬ敵に囲まれているのであって、その敵は、彼がなんらその怒りに触れるようなことをしなくてもなだめえない敵であるから、彼らの加害から彼を守るものは、ただひたすら、それを懲罰するためにたえず振りあげられている市民的治安府の強い腕力である」。

土地の私有と資本の蓄積が必然的に財産の大きな不平等をもたらし、そこから生まれる不満や侵害を抑え不平等状態を安定させるために、政府・政治権力・治安府が必要になったとスミスは考えるのである。さらに彼は、すでに明らかになりつつあった労働者と資本家との対立関係をも正確にみぬいている。

「労働の普通の賃金がどうかということは、どこにおいても、その利害がけっして同一でないこれら双方の当事者（労働者と資本所有者）のあいだに平常結ばれる契約に依存している。労働者はできるだけ多くを得ようと望み、雇主はなるべく少なく与えようとする。前者は値上げするために団結し、後者はそれを低下させるために団結する傾向がある。しかし、これら双方の当事者のうち、普通の場合にどちらが有利な地位に立って相手を強要して彼らの条件を承諾させうるかを、予見することは困難ではない。雇主の方はその数が比較的少数であるからはるかに容易に団結することができる。そしてそのうえ法律は、雇主の団結を禁止するが、職工の団結はこれを許し、または少なくとも禁止しない。……雇主らはつねに、どこでも一種暗黙の、しかも不断の統一的な団結をつくって、労働賃金をその現実の率以上に上げないようにしている」。

一七六四年にハーグリーヴス（James Hargreaves, ?–1778）によって考案された多軸紡績機をきっかけとして始まった「産業革命」は、後にみるように労働者の賃金を最低のところまで引き下げていく。スミスは労働者がつねに不利な立場におかれていることを、同情をもって描いている。

†経済活動の自由

「商業社会」が生みだしているこうした弊害を除去するにはどうしたらよいか。スミスはこの弊害を生んだ原因が「事物の自然」に反したことにあるとし、「自然的自由の制度」を実現することによって、弊害は除去されると説く。

当時は、まだ政治的諸関係や社会的諸関係によって、経済活動が拘束され制約されていた。そうした拘束や制約を打破すれば、おのずから自然的秩序が現れ、すべての国民の生活が豊かになるとスミスは主張するのである。

彼が「初期未開の社会」という自然状態において、人間が自由に労働し平等に交換したと語るとき、それは、そうした原始状態へ帰ることを要求するものではなく、「商業社会」を自然のままに放任せよという要求を裏づけるものにほかならなかった。「利己心」や「自愛」に従って人間が自由に経済活動をするとき、そこから「勤勉」や「節倹」が生まれ、それが結果として資本の蓄積をもたらす。そして資本家が彼自身の私的利潤の獲得をめざして資本を最も有効に使用しようとするが、それは結果として資本が社会にとって最も有効に使用されることを意味する。そこから、諸個人の利己心の自由な発動は、神の「見えざる手」(invisible hand) に導かれて社会全体の利益・福祉に貢献するという、スミスの有名な主張が現れたのである。これは当時の「市民社会」の人びとの楽観的な人間像・社会観を示しているといえよう。

3 ヘーゲルの国家観・社会観

†欲望の体系としての「市民社会」

ドイツの哲学者ヘーゲル（Georg Wilhelm Friedrich Hegel, 1770–1831）は、啓蒙思想とロマン主義思想との厳しい対立のただなかで、独自の哲学体系を築いた。それは、理性の立場から対象を厳密に分析しようとする啓蒙的思考と、対象を全体として直接に把握しようとするロマン主義的直観とを、ともに一面的であると批判し、両者をともにみずからのなかに活かす弁証法の境地に立つものであった。ヘーゲルはイギリスの「市民社会」のあり方に強い関心をもち、スチュアート（James Steuart, 1712–80）の『経済学原理』（*An Inquiry into the Principle of Political Oeconomy*, 1767）やスミスの『諸国民の富』を熱心に研究しつつ、彼の国家観・社会観を構築した。

彼の著『法の哲学要綱』（*Grundlinien der Philosophie des Rechts*, 1820）は、第一部「抽象的な法（権利）」、第二部「道徳性」、第三部「人倫」、となっている。人倫は、社会集団において構成員の自立（自由）と共同性とを同時に成り立たせているものにほかならない。この人倫の段階は、家族、市民社会、国家に区分される。家族においては、人倫が直接的、自然的、無自覚のかたちで現れている。愛情による結びつきが強いだけに、構成員の自立（自由）が十分に自覚されていない。「市民社会」の段階においては、自立した諸個人が、自分の欲求を満たすために活動する。欲求とその充足は、他人の欲求と労働に依存し制約される。したがって、生産と消費の体系がおのずから形成され、「市民社会」の人びとは依存関係と相互関係のなかに組み入れられるのである。

†不平等と分裂

諸個人は労働（教養と技能）によって普遍的資産（社会全体の富）を配分されるが、それぞれの個人の技能・財産は偶然的事情に左右されるから、必然的に不平等を生みだす。そして富者はますます有利な立場に立ち、貧者はますます不利な立場に立つことになる。こうして、人倫の分裂態である「市民社会」、すなわち、普遍性が司法活動による所有権の保障といった外部からの強制としてのみ働き、市民たちの利己的活動は特殊性だけに基づいて営まれている「市民社会」では、貧富の対立、労資の対立が現れ、弱肉強食の状態とならざるをえなくなる。

ヘーゲル

「市民社会はこうした対立的諸関係とそのもつれあいにおいて、ほしいままの享楽と悲惨な貧困との光景を示すとともに、このいずれにも共通の肉体的・倫理的な頽廃の光景を示すのである」。

「市民社会が妨げられることのない活動状態にあるときは、市民社会はそれ自身の内部で**人口**と**産業**との**発展**途上にある。

……人間のもろもろの欲求を通じて人間の連関が**普遍化すること**によって、またこれらの欲求を満たす手段を作製調達する方法が**普遍化すること**によって、**富の蓄積**が増大する。というのはこの二重の普遍性から最大の利得が得られるからである。

……しかしこれは一面であり、他面では、特殊的労働の**個別化**と**融通のきかなさ**とが増大するとともに、この労働に縛りつけられた階級の**隷属**と**窮乏**とが増大し、これと関連してこの階級は、その他のもろもろの能力、とくに市民社会の精神的な便益を、感受し享受する能力を失うのである」。

†福祉行政と職業団体

スミスは「市民社会」の諸活動を自由に放任しておけば、自然に秩序が生まれると考えたが、現実には弱肉強食の状態が生じていた。ヘーゲルはこの現実を直視するのである。そこで彼は、「市民社会」のあり方が多数の貧窮を生んでいるのだから、諸個人の生計と福祉を保障することは、「市民社会」の義務であると考える。ヘーゲルによれば、「市民社会」は大きな家族のようなものであるから、息子（市民）の面倒をみなければならないのである。

「福祉行政」（Polizei）の主体は、地方自治体、商工業団体、身分団体とその管理者に求められている。そしてヘーゲルは、営業の自由を原則として認めながら、最小限の規制を行い、また救貧施設や病院などの福祉事業を行うことを説いている。具体的には「福祉行政」は、①生活必需品の価格指定、②商品検査の管理、③街路照明、④橋の架設、⑤衛生活動、⑥教育、⑦公営の救貧施設、⑧病院、⑨海外事情の調査、⑩植民地建設などについて配慮すべきだとされている。「福祉行政」は、「市民社会」の〈自己規制〉〈自助活動〉であるといえよう。

ヘーゲルはまた、「市民社会」における職業活動が諸個人の自己形成（教養）という側面をもつことに着目し、職業活動を通じた団体の形成によって、ばらばらな諸個人を組織化する必要があると説く。「職業団体」（Korporation）は同じ職業につく人たちの結合体であるが、中世以来の「同職組合」（Zunft）とは異なる。「同職組合」は閉鎖的であり、特権を守ることに専念した。それに対しヘーゲルの「職業団体」は同輩関係としての組合であり、そこでは、成員は技能と実直さをもつことが要求され、同時に生計の安定が保障される。成員はそうした「職業団体」に所属することによって、個人的な利己的目的が同時に普遍的目的につながっていることを理解し、みずからを普遍的立場に高めることを学ぶのである。もちろん「職業団体」は、それぞれみずからが有利であることを望むであろうが、社会全体の観点からみずからの職業を位置づけ、その成員に責任と誇りを与えるのである。それぞれの「職業団体」の長は普通選挙で選ばれ、国家によって追認される。そして各「職業団体」の利害の調整は、行政機関によって国家の観点から行われるのである。

このようにヘーゲルは、「福祉行政」と「職業団体」を「市民社会」のなかに位置づけ、それによって社会問題、社会的弊害の除去をめざすのであるが、結局は「人倫的理念の現実態」である国家が、普遍的な立場から「市民社会」の諸活動を制御することになる。ヘーゲルの場合、国家は立憲君主制をとるが、実質的には行政組織としての官僚制と、立法機関としての議会が国家を運営していくとされる。議会は諸身分、「職業団体」、地方自治体の代表者からなるとされ、イギリス型の議会とは異なる構成が考えられているのである。

ケネー（François Quesnay, 1694-1774）
フランスのパリ郊外に生まれ、一六歳のとき開業医に入門してその後外科医として活躍し、貴族に列せられた。経済学者としての活動は『百科全書』に三論文を寄稿したことに始まる。彼の最大の業績は『経済表』（一七五八）に示されているような経済社会の全体的把握である。重商主義者が個別的に取り扱っていた経済現象を、彼は再生産過程として総体的に把握した。彼は剰余価値を生むことが生産的であると説いたうえで、生産的であるのは労働一般ではなく農業労働だけであるとしている。
彼の生産および生産性を重視する態度は、スミスの経済学、さらにはマルクスの経済学に影響を与えている。

スチュアート（James Steuart, 1712-80）
スコットランドの名門の家に生まれ、エディンバラ大学を出て弁護士資格を得た。一七六七年『経済学原理』を公刊し、市民社会が本質的に不均衡な体制であり、その発展とともにいっそう不安定となり、広く強い国家統制の制御がなければ崩れ去るという見解を示した。

第一編の「人口と農業」においては人類と自然との物質代謝の内容が社会の土台であるとし、近代市民社会の形成過程は、不生産的・前近代的な労役を、生産的・近代的な勤労に切り替えていくことにあるとする。第二編から第五編にかけての「公益と産業」「貨幣と信用」「公債と為替」「租税」は、近代市民社会の発展とともに現れた諸範疇、諸制度、諸政策を発生順に解明している。

第7章　初期社会主義思想

1　初期社会主義の台頭——産業革命とラダイツ運動

多軸紡績機の考案から開始された産業革命は、一七八五年に新式機械が蒸気機関と結合されるにいたり、各産業部門に導入され、さらに交通機関にも導入された。新式機械は、大量の、しかも均質の製品を生産するから、それを採用した大工場の出現は、旧式の道具を使う手工業的職人からその職を奪い、彼らの長期間の習練で身につけた技術を社会的に無用なものとしてしまった。たとえ失業しないでも、彼らの賃金は急激に低下した。また新式機械を導入した工場では、労働が単純化し筋肉力が不必要となったから、婦人や児童を安価な労働力の提供者として雇うことができるようになった。したがって成年男子労働者の賃金は低下し、労働時間が延長され、間断のない労働が強制された。かつて道具を使って生産していたときには、労働者が機械の主人であったが、いまや新式機械が労働者の主人となったのである。

こうして、手工業者、職人的労働者、工場労働者は、新式機械の登場を憎悪の目をもって迎えた。そしてイギリスが深刻な不況に陥っていたこともあって、労働者の生活が窮迫し、劣悪な労働条件を強制されればそれだけ、彼らの機械への憎悪は激しさを加えた。その憎悪と不満が極限に達したとき、嵐のようにイギリス北部の工業地帯を襲ったのが「ラダイツ運動」(Luddites Movement)であった。

ラッド(Ned Ludd)と呼ばれた正体不明の人物によって指導されたこの「機械うちこわし運動」は、大規模には一八一一年一一月にノッチンガムシャーで始まったといわれる。この運動はたちまちダービーシャー、レスターシャーへと波及し、翌年にはイギリス北部の工業地帯全体に燎原の火のように燃えひろがった。当時の労働者は、業務を目的とする集会・団結すら「団結禁止法」(Combination Act, 一七九九年施行)によって禁じられていた。まして機械破壊をめざす運動ともなれば、重刑を覚悟しなければならない。そのためラダイツは完全な秘密結社として組織され、ラッドと名乗る一人あるいは数人の指導部の統制のもとに、計画的な襲撃をくりかえしたのである。

政府のラダイツへの弾圧は苛烈をきわめた。まず軍隊が鎮圧のため派遣され、さらに特別警官隊を編成してスパイ活動を行わせ、一八一二年の春には「監視法」を実施し、地方自衛組織を結成しようとした。また「機械破壊に対する処罰法案」が議会を通過したため、機械破壊者は死刑に処せられることになった。一時はめざましい勢いを示したラダイツ運動も、こうした政府の八方手をつくした弾圧に抗しえず、一八一二年四月ごろを境に、しだいに下火となり、六月ごろには終息したのであった。

「ラダイツ運動」は、産業革命の進行によって窮乏状態に追い込まれた労働者たちの不満の、いわば本能的な爆発であった。目に見える新式機械に不満をぶつけたのである。しかし、労働者の窮乏の原因が新式機械そのものにはなかったことは、いうまでもない。新式機械を導入した資本家・経営者が、利潤の追求に余念がなかったからこそ、労働者の窮乏がもたらされたのであり、資本家・経営者が最大限の利潤をあげなければ、競争に敗けて地位を失ってしまう資本主義的経済体制であったからこそ、労働者の窮乏がもたらされたのである。このような社会体制の改善をめざしたのが、初期の社会主義者たちであった。

2　社会主義と協同組合の父――ロバート・オーウェン

†性格形成原理とニュー・ラナーク工場

イギリスで社会主義を唱え、大規模な実験村を建設したのは、オーウェン（Robert Owen, 1771-1858）である。彼は幼少のころから勤めにでて実務を習うかたわら、読書によって知識を蓄え、一七八九年、一八歳のときマンチェスターで紡績工場の経営を始めた。そして二〇歳にして五〇〇人の職工と新式機械をもつ大紡績工場の支配人となり、機械の改良に成功し、細糸生産によって巨利をあげた。彼の経営者としての才能は非凡なものであったので、一七九七年にはスコットランドの「ニュー・ラナーク紡績会社」の総支配人として二五〇人もの従業員を使う地位についた。そして有能な経営者として莫大な利潤をあげると同時に、労働者の生活改善のために、できるだけその利潤を投じたのであった。

当時の紡績工場では多くの子どもたちが働いていた。「教区徒弟」と呼ばれる彼らは、七年から九年の年季で集団的に働きにきている五歳から一〇歳の子供たちからなっていた。労働時間は正味一五時間が普通であり、その間、濁った空気、八〇度に達する高温のなかで、彼ら幼少年工は休みなく労働しなければならなかった。このような状態を改善するため、一八〇二年には「徒弟の健康、風紀に関する法律」が制定され、工場に換気装置を設けること、読み書き算数を教えること、労働時間は一二時間を超えないこと、夜業は禁止すること、などが要求された。しかし監督条項が不備であり、しかも当時の紡績工場は労働力の不足に悩んでいたから、この法律もほとんど守られることのない空文と化していた。幼少年工たちは青白い不健康な顔色をしており、無知蒙昧のままでいるのが大部分であった。成人労働者は酒と喧嘩に身をもち崩し、盗みすら平気で行っていた。

オーウェン

オーウェンは、このような労働者の頽廃した生活の改善に着手する。それは「商売の経済上の成功に必要」だからでもあったが、同時に彼が「性格形成原理」(principles of the formation of the human characters)と名づけた信念の正しさを実験によって確証するためでもあった。後にこの工場での実験に基づいてオーウェンが自分の見解を公表した『社会に関する新見解』(*A New View of Society*, 1812)によれば、この原理はだいたい次のようなものであった。

「適当な手段を用いれば、どんな性格でも最善のものから最悪のものまで、最も無知なものから最も知識のあるものまで、どんな社会にも、広く世界にも付与することができる。しかもその手段の大部分は、世事に影響力をもっている人たちが意のままにし、支配しているところのものである」。

「子供は例外なく受動的で、また驚くべき巧妙な複合体である。だからそれは、この問題についての正しい知識に基づいた的確な注意を前後に払うならば、どんな人間性でももつように形成することができる」。

つまり一言でいえば、人間の性格はすべてその環境の産物であるから、人間性への正確な知識に基づいて環境を改善すれば、人間の性格も改善できるという信念であった。

オーウェンの改善計画は、営利主義的な共同出資者の反対を排して徐々に実行に移された。彼は、「教区徒弟」を国もとへ帰し、ニュー・ラナーク村の子供たちを雇ったが、一〇歳未満の者は採用せず、両親に勧めて工場に付置された学校に入れさせた。また労働時間の短縮のために努力し、普通一三~一五時間であった労働時間を正味一〇時間四五分にまで短縮することに成功した。また成人労働者のための厚生施設の改善にも力をつくした。飲酒や賭博を禁じ、購買組合を奨励し、各種の年金制度を実施した。町は見ちがえるほど清潔となり、労働者は精神的にも肉体的にも健康な生活を送るようになった。一八一六年には工場構内の中心に二階建てレンガ造りの立派な学校が建った。これは「性格形成学院」と呼ばれ、そこで幼稚園、小学校、青年および成人教育という三つのコースの教育が、合理的に配慮された教育計画のもとで行われたのである。

†社会主義と協同組合の父

一八一五年にオーウェンは、労働条件改善をめざす工場法案を下院に提出したが、結局骨抜きにされてしまった。翌年、ナポレオン戦争が終わるとともに、イギリスは大規模な恐慌に襲われ、失業者の数が急増し、労働者の窮乏はさらに深刻になった。オーウェンは事態がもはや工場法制定などによっては救済できないことを認識した。ちょうど貧民救済方策を研究中であった協会がオーウェンの意見を求めてきたので、彼は一八一七年三月にその「報告」を提出した。そのなかで、「社会的弊害をもたらした根本原因を需要と供給との不均衡に求める。人多数の国民は貧乏で貨幣をもたない。したがって単なる需要は莫大にあるが、貨幣の裏づけのある有効需要はきわめて少ない。そこから生産過剰という現象が生じ、不況・恐慌が生まれる。したがって、需要と供給の均衡した経済組織を建設しなければならない」と解説した。そしてオーウェンは、自給自足を原則とする協同生活の場として「和合と協同の村」(Village of Unity and Mutual Co-operation)を組織し、ここに失業者や貧民を収容して、よい生活を与えることを提案する。この村の特徴は、まず巨大な正方形の建物を中心に外庭と耕地と牧場が周囲を取り巻くという配置にある。一〇〇〇〜一五〇〇エーカーの土地で一二〇〇人が協同生活、協同労働を行うのである。この配置からもわかるように、農業が主であり、外庭にある工場は比較的小規模である。自給自足したうえで余剰生産物を外部に販売し、村の建設に要した資金の返済にあてることになっている。

協会はこのオーウェンのプランを、空想的だとして却下してしまった。そこでオーウェンはこのプランを『タイムズ』をはじめとする新聞・雑誌に公表し、世論に訴え始めた。まさにこのとき、オーウェンは「工場改良者」から「社会主義と協同組合の父」へと変貌をとげたのである。

†ニュー・ハーモニー村

一八二五年一月、オーウェンはアメリカのインディアナ州に土地三万エーカー、建物一八〇を三万ポンドで買収し、いよいよ彼のプランを実現しようとする。四月に九〇〇人におよぶ参加者を集めて「ニュー・ハーモニー村」が開設された。この村は、彼の「和合と協同の村」をつくるための「準備社会」とされ、資本主義社会に育って身につけた種々の悪習慣や誤った思考様式を捨て去るところと考えられた。

そしてオーウェンは準備が調ったと判断し、翌年一月、平等村の建設に踏み切った。二月に「ニュー・ハーモニー平等村」の憲法が制定された。それは、「平等村は全村一家族とする。何びとも仕事によって高くまた卑しく評価されない。可能な限り同様な食物・衣服・家屋が年齢に応じて配分される。すべての人に最高の知的・道徳的・肉体的教育を与える。各人は全体の福祉のために最上の労働を提供する。各職業から一人ずつ管理者を選出し、彼らがさらに四人の上級管理者を互選する。この四人で組織する『会議』が行政権をもつが、行政は公開される。立法権は二一歳以上の村民によって構成される『集会』に属する。宗教は完全に自由である」という内容だった。こうして壮大な実験村が新大陸アメリカの一角に出現した。しかし、「平等村」は門出こそ華やかであったが、やがて内部分裂と経済的破綻が生まれ、一八二八年六月、オーウェンは彼の財産二五万ドルの四分の三を注ぎ込んだ「平等村」の運営に失敗して帰国しなければならなかった。

3　オーウェン主義の浸透――協同組合運動と労働運動

一八二〇年から三〇年にかけて、オーウェンの思想は広い範囲にわたって浸透し、多くのオーウェン主義者を生みだした。一八二一年にはロンドンの印刷工たちによって「ロンドン協同経済組合」が結成され、オーウェン主義の最初の機関紙ともいうべき『エコノミスト』(*The Economist*)が発刊された。さらに一八二四年には労働全収権と利潤廃止をめざす「ロンドン協同組合」が結成され、機関紙『協同雑誌』(*Co-operative Magazine*)を通じてオーウェン主義の宣伝・普及に努めた。そのほか、オーウェンの直接・間接の影響下に協同組合が続々と結成された。それらは

(1) 大量に卸売値段で仕入れた生活必需品を組合売店を通じて組合員に配り、商人の中間搾取を排除する、

(2) 組合の基金が増加したときは組合員に仕事を与え、しだいに基金を増大し、やがて自給自足の共同体にまで成長することをめざす、

(3) 友愛の精神を強調し、組合の費用で医療保障をする、

という点で共通の性格をもっていた。

また労働運動にもオーウェンは強い影響を与えた。一八二四年の「団結禁止法」廃止をきっかけとして、労働者の組織化は急速に進む。労働組合は地区的な枠を越えて全国的な組織にまで発展する。一八二九年にはオーウェン主義者ドアティ（John Doherty）を中心に、スコットランド、アイルランドの紡績工は「全英紡績工総同盟」を結成する。これは近代的な全国的労組として有名である。一八三三年一〇月、労組、教組など労働諸団体の代表者会議が、オーウェンの司会のもとにロンドンで開かれ、彼は労働団体を網羅した「大ブリテンおよびアイルランド生産階級全国道徳組合」の結成を提案し採択される。そしてこの提案は一八三四年二月、「全国労働組合大連合」として実現されたのであった。

4　サン－シモンと〈産業者中心社会〉

†産業主義

フランス革命からナポレオン帝政を経て復古王朝にいたる社会的動揺を体験したサ

ン－シモン（Claude Henri de Saint-Simon, 1760–1825）は、混乱した無政府状態に秩序を与えるため、実質的に社会の進歩・繁栄に貢献している科学者と産業者が支配的地位につくべきだと主張した。『産業者の教理問答』（*Catéchisme des industriels*, 1823–24）によれば、「産業者」とは「社会のさまざまな成員の物質的需要あるいは嗜好を満足させる一つまたはいくつかの物的資材を生産し、あるいは配給するために働く人」であり、農民と製造業者と商人を含むとされる。つまり、最も広い意味での「生産者」と解してよいであろう。「産業者」は「国民の二五分の二四」を占め、すべての富を生産し、知性の点でも優越する「社会の最有能・最有用な階級」である。にもかかわらず、現在の彼らの社会的地位は最も低い。そして貴族やブルジョア——サン－シモンは軍人、法律家、地代取得者、官吏などをとくにブルジョアと名づける——という有閑者が社会の上位を占めて、政治を動かし法律を制定している。そこに社会的弊害の根本原因があると考えるサン－シモンは、「産業者」が結集して世論に訴え、政治権力を獲得すべきだとするのである。

彼によると「産業者」のなかに銀行家なども含まれており、資本家と労働者との対立関係が考慮されていない。したがって社会主義とはいえないが、「生産者」が社会を支配すべきだと説いた点に注目しなければならない。

†新生産体制

サン-シモンは、晩年になるほど労働者への同情を深め、遺書ともいうべき『新キリスト教』(*Le nouveau christianisme*)においては友愛の精神を強調し、「社会全体は最も貧しい階級の精神的・物質的な生活の改善につくさなければならない。社会はそれ自身この偉大な目的を達するのに最も適当なように組織されねばならない」と説いている。

このようなサン-シモンの思想を受けつぎ、具体化していったのが、ロドリーグ(Olinde Rodriguez, 1794-1851)、アンファンタン(Barthélemy Prosper Enfantin, 1789-1864)、バザール(Amand Bazard, 1791-1832)などのサン-シモン主義者であった。彼らは機関誌『生産者』(*Le Producteur*)を中心にサン-シモンの思想を宣伝したが、同時により具体化しようとする。『サン-シモンの学説要義』(*Exposition de la Doctrine de Saint-Simon*, 1833)によると、彼らの主張は三つの重要なテーマを含んでいる。第一のテーマは相続権の否定である。労働者の窮乏の根本原因は、きわめて少数の人たちが労働手段を独占し世襲していることにある。相続した財産はその人の能力になんの関係もない出生による特権である。それゆえ相続権を国家に移管し、国家がすべての資本を握って合理的に投資し、各人の能力が最大限に発揮される生産制度を創設すべきである。第二のテーマは「各人は能力に応じて働き、その働きに応じて受けとる」という能力を中心とする分配原理である。そして第三のテーマは生産の中央集権的組織化である。このようにサン＝シモン主義者の主張のなかには、すでに社会主義というべきものが含まれているのである。

第8章　マルクスの人間解放思想

1　ヘーゲル哲学批判からフォイエルバッハへ

†青年ヘーゲル学派

一八一八年五月五日、ドイツのライン地方の一都市トリールに生まれたマルクス（Karl Heinrich Marx, 1818-83）は、三五年秋にボン大学に入学して法律学を学び、翌年秋ベルリン大学に転じた。そして哲学に強い関心をもつようになり、とくに一八三八年以後「青年ヘーゲル学派」（Junghegelianer）の中心人物バウアー（Bruno Bauer, 1809-82）と交際するようになると、ヘーゲル哲学に傾倒し、みずから「青年ヘーゲル学派」の一員をもって任ずるようになった。

当時この「学派」を代表していたのは、シュトラウス（David Straus, 1808-74）、ルーゲ（Arnold Ruge, 1802-80）、フォイエルバッハ（Ludwig Andreas Feuerbach, 1804-72）、そしてバウアーらである。

この「学派」はヘーゲル門下の若い世代の人たちからなり、共通の問題意識と態度とをもっていた。ヘーゲルがその壮大な哲学体系

マルクス

において、キリスト教と哲学、国家と哲学、一般に歴史的現実と哲学とを和解に導いたのに対して、この「学派」の人たちは疑問を抱き、キリスト教や国家の現状に対する強い批判意識をもっていた。シュトラウス、フォイエルバッハ、バウアーは宗教批判を、ルーゲ、そしてマルクスは国家批判を進めていくのである。

マルクスは大学に職を得たいと望んでいたが、その望みも強化された反動によって失われ、一八四二年一月に創刊された『ライン新聞』――ライン地方の新興市民層の政治的機関紙――の寄稿者となり、一〇月には編集長となって健筆をふるった。そして現実の諸問題に真剣に取り組めば取り組むほど、自分の立場が抽象的・観念的であ

り、現実的問題を解決する積極的原理とはなりえないことを痛感するようになる。とくに経済的利害をめぐる問題や、社会主義・共産主義への態度決定の問題に直面して、マルクスはそれまで自分の思想的根拠としていたヘーゲル哲学（とくに法哲学）の徹底的な批判を通じ、自分自身の新しい確固とした立場を築かねばならないと決意した。

†フォイエルバッハの「現実的人間主義」

一八四三年三月、マルクスは編集長を辞し、ヘーゲルの『法の哲学要綱』の批判的検討にとりかかる。そのさい、彼が思索を進める手がかりを見いだしたのは、フォイエルバッハの「現実的人間主義」であった。フォイエルバッハは『キリスト教の本質』（*Das Wesen des Christentums*, 1841）において、神学が神の属性としているものは、実は人間の「類的本質」（Gattungswesen）にほかならないことを証明した。たとえば、愛は個体としての人間のなかにありながら、個体を超えた類の働きをしている。にもかかわらず人間は利己的立場に執着するから、自分自身の「類的本質」を神として対象化し、崇拝している。したがってそこでは、人間は本来の自分自身から疎遠となり、人間がつくりだしたもの（神）によって支配されているのである。そこにフォイエルバッハは「人間の自己疎外」を見いだしたのである。

さらに彼は、ヘーゲル哲学においても、同じような「人間の自己疎外」を見いだす。『哲学改革のための暫定的提言』(*Die Vorläufigen Thesen zur Reform der Philosophie,* 1843) によれば、

「抽象するとは、自然の**本質**を**自然の外部**へ、人間の**本質**を**人間の外部**へ、**思考の本質**を**思考作用の外部**へ、置くことである。ヘーゲル哲学は、その全体系をこうした抽象作用に基づけることによって、人間を**自己自身**から**疎外**した」

とされる。ヘーゲルによれば、主体であり実体であり精神である絶対者が、自己を外化し分裂させて、自然や人間のあらゆる現実を生みだしているとされる。したがってヘーゲルによれば、人間のあらゆる能力や規定、たとえば精神、自己意識、概念、本質などは、すべて人間を超絶した絶対者のものなのである。フォイエルバッハはそこに「人間の自己疎外」を見いだす。なぜなら、もともと人間のものである本質や機能が、人間から切断され、人間の外部に立てられ、人間を支配しているからである。

このようにフォイエルバッハは、血と肉をもつ感性的な現実的人間を基礎とし、その立場からヘーゲル哲学の疎外構造を究明し、ヘーゲル哲学における主体を客体へ、客体を主体へと転倒させるべきだと主張したのである。

2　マルクスの〈疎外〉の四つの形態

†社会的現実における「人間の自己疎外」

マルクスはこのフォイエルバッハの見解に強い共感を覚えたが、フォイエルバッハが宗教や哲学の領域のみを扱っている点が不満だった。そこでマルクスは政治的・社会的現実における人間疎外の構造を究明していこうとして二つの論文を書いた。それは『独仏年誌』に発表された『ユダヤ人問題によせて』(*Zur Judenfrage*, 1843) と『ヘーゲル法哲学批判序説』(*Zur Kritik der Hegelschen Rechtsphilosophie, Einleitung*, 1843) である。

「**人間の自己疎外の聖像**が仮面をはがされた以上、さらに聖ならざる形姿における自己疎外の仮面をはぐことが、なによりまず、歴史に奉仕する**哲学の課題**である。こうして、天国の批判は地上の批判と化し、**宗教への批判は法への批判**に、**神学への批判は政治への批判**に変化する」

とマルクスは自分の課題を設定している。

マルクスが見いだしたのは、近代国家、市民革命を経た国家の社会組織における疎外であった。近代国家では信教の自由が〈保障〉され、〈国家〉の見地からすれば、ユダヤ人への差別は撤廃されたはずである。だが〈市民社会〉での現実の生活では差別は厳然と存続している。そこにマルクスは政治的解放の限界をみる。

近代の政治革命は人間を政治的に解放した。それは全国民を、その出生、身分、教養、信教、財産などの区別なく、主権の平等の参与者（公民）であるとした。つまり〈国家〉の見地からは、それらの区別は廃されたわけである。しかし、だからといってそれらの区別は実際になくなったわけではない。たとえば財産をもつ者ももたない者も選挙権・被選挙権があり、平等の主権の参与者であるとされたからといって、財産そのものが平等になったわけではなく、したがって財産の区別が〈政治的〉に廃されたことは、財産の区別そのものがなくなったことを少しも意味しない。むしろ財産という特殊な生活活動には国家がいっさい関与しないということになるから、財産はなにものにも妨げられず自由勝手に活動できることになり、ますます事実上の区別・差異はひどくなる。つまり政治革命の結果、人間生活の普遍的側面（人間の類的存在）は国家へと抽象的なかたちで集中されてしまったから、現実の人間生活の場である市民社会は、普遍性・類的連帯性を失った諸個人の利己的活動の場となっている。

マルクスは、このように現実の人間が市民社会の成員として自分の類的連帯・類的存在を国家へと奪われている状態に、人間の自己疎外を見いだしたのであった。市民社会の人間は、本来の自己から疎外されているからこそ、利己的にのみ活動し、他人を手段とし敵としてのみみる孤立した個人となる。そこから弱肉強食の動物的世界が生まれ、近代社会のあらゆる弊害が生じてくる、とマルクスは説く。

†人間の人間的解放

では、どのようにすれば、この「人間の自己疎外」を克服できるであろうか。フォイエルバッハは、宗教と哲学という観念の内部での自己疎外を問題にしていたから、その克服は考え方の転換、自覚の深化によってできるとした。しかしマルクスが問題にしているのは、社会的現実そのものにおける自己疎外であるから、その克服のためには社会的現実を変革しなければならない。しかも、国家は抽象的普遍性にすぎないとするマルクスは、ヘーゲルのように国家によって市民社会の活動を制御するという方向を採ることはできない。国家（官僚制と議会）は実際には普遍性を代表してはいないのである。したがってマルクスは、人間の政治的解放の限界を突き破って、現実の生活のただなかで差別・区別を撤廃する「人間的解放」は、市民社会の成員である現実的人間の手で実現されねばならないと考える。

「現実の個体的人間が、抽象的な公民を自分のなかに取り戻し、個体的な人間でありながら、その経験的生活、その個人的労働、その個人的諸関係のなかで、**類的存在**となったとき、つまり人間が彼の〈固有の力〉を**社会的な**力として認識し組織し、したがって社会的な力をもはや**政治的な**力というかたちで自分から分離しないとき、そのときはじめて、人間的解放は完遂されたことになる」。

まだ漠然としているが、市民社会の市民が社会的に連帯し、国家を不必要なものとしていくという、下からの変革路線が示されている。そしてこの変革の具体的な担い手は、全面的に権利を奪われ、人間性の喪失状態に追い込まれているがゆえに、人間の完全な再獲得によってのみ自分自身を獲得できる一階級、プロレタリアートに求められるのである。

†労働の疎外構造

だが、自覚的に団結する賃金労働者であるプロレタリアートは、なぜ窮乏化せざるをえないのであろうか。彼らを変革の担い手とするのであれば、この問題を解明しなければならない。そのためには市民社会の経済学的究明が必要であるが、マルクスは経済学的知識を十分もっていなかった。そこで彼は、一八四三年から翌年にかけて、経済学を熱心に研究した。スミスの『諸国民の富』を中心にリカード（David Ricardo, 1772-1823）の『経済学および課税の原理』（*On the Principles of Political Economy and Taxation*, 1817）、セー（Jean Baptiste Say, 1767-1832）の『経済学』（*Traité d'économie politique*, 1803）、シスモンディ（Sismonde de Sismondi, 1773-1842）の『経済学新原理』（*Nouveaux principes d'économie politique*, 1819）などを研究し、それを通じて、市民社会・資本主義社会における労働の疎外構造を解明しようとするのである。その研究は『経済学・哲学草稿』（*Ökonomisch-philosophische Manuskripte aus dem Jahre*, 1844）として残されている。

マルクスは経済学者の所説を「労賃」「資本の利潤」「地代」という三つのテーマに区分して整理し、その結果、次のことが確認できるとする。

「労働者が商品へ、しかも最も惨めな商品へ転落すること、労働者の窮乏が彼の生産の強さと大きさとに反比例すること、競争の必然的な結果は、少数の手中への資本の蓄積であり、したがっていっそうおそるべき独占の再現であること、最後に資本家と地主との区別が、耕作農民とマニュファクチュア労働者との区別と同様に消滅して、全社会が**有産者**と無産の**労働者**という両階級へ分裂せざるをえないということ」

である。

そのなかでマルクスがとくに注目するのは、

「労働者は、彼が富をより多く生産すればするほど、彼の生産の力と範囲とがより増大すればするほど、それだけますます貧しくなる。労働者は商品をより多くつくればつくるほど、それだけますます安価な商品となる」

という事態である。なぜこのようなことが生じるのか。当時の経済学者はその根本原因を明らかにできなかった。マルクスはそれを、資本主義社会においては「労働者が**自分の労働の生産物**に対して、一つの**疎遠な**対象に対するようにふるまうという規定」のうちに見いだす。生産物は労働の対象化されたもの、対象のなかに固定化され事物化された労働にほかならないから、当然、労働の主体である労働者のものであるはずであり、労働者に属すべきものである。ところが、資本主義社会においては、労働者は〈生産手段〉をもたないので、自分の労働を自分で実現することができない。また同時に彼は、〈生活手段〉としての資料・財産をもっていないから、労働を実現できなければ、生命（生活）を保つことができない。それゆえ労働者は、自分の労働力を〈商品〉として、生産手段の所有者（資本家・雇主）に売らざるをえない。雇用契約を結んだとき、労働者の労働力は雇主のものとなる。したがって、その労働力と生産手段との結合の成果である生産物は、雇主・資本家の所有物となる。

こうして、資本主義社会においては、生産物は労働者にとって疎遠なものとして外部に存在するばかりでなく、独立した力として彼に敵対するものとなっている。つまり労働者は、労働の対象化である生産において、その〈生産物から疎外〉されている。そして商品世界の価値が労働を通じて増大していくと、生活を保つ最低限の価値しかもたない労働力商品の価値は相対的に低下していく。こうして「労働は富者のためには驚異的な作品を生産する。だが労働は労働者のためには赤貧をつくりだす」のである。

†生産行為と類的存在からの疎外

生産物からの労働者の疎外は、じつは生産行為・生産活動からの労働者の疎外の結果である。雇用契約を結んだとき、労働者の労働力は雇主に商品として買われてしまったのであるから、生産過程における労働者は雇主の命令のままに労働しなければならない。生産行為は労働者にとって疎遠なもの、強制労働となる。生産行為・労働は、本来は労働者にとって、対象において自己を実現し確認する行為であり、喜びを感じるものであり、みずからの能力を発展させるものである。にもかかわらず、疎外された労働は悲惨なものとなる。

「では、労働の外化（疎外）は、実質的にどこにあるのか。第一に、労働が労働者にとって**外的**であること、すなわち労働が労働者の本質に属していないこと、そのため彼は自分の労働において肯定されないでかえって否定され、幸福を感ぜずにかえって不幸と感じ、自由な肉体的および精神的エネルギーがまったく発展されずに、かえって彼の肉体は消耗し、彼の精神は頽廃する、ということにある。だから労働者は、労働の外部ではじめて自己のもとにあると感じ、そして労働のなかでは自己の外にあると感ずる。労働していないとき、彼は家庭にいるように安らぎ、労働しているとき、彼はそうした安らぎをもたない。だから彼の労働は、自発的なものではなくて強いられたものであり、**強制労働**である。そのため労働は、ある欲求の満足ではなく、労働以外のところで諸欲求を満足させるための**手段**であるにすぎない。労働の疎遠性は、物質上またはその他の強制がなにも存在しなくなるやいなや、労働がペストのように忌み嫌われるということに、はっきり現れている」。

労働はまた、本来は人間の類的な結びつきを確保するものであった。労働を通じて人間は、対象を類のなかの一つとしてとらえ、自分を類のなかの一人として自覚する。生産は、社会の他の成員の要求を満たすために行われ、社会的な結びつきを支えるものである。ところがいまや、生産物からも生産行為からも労働者は疎外されているから、類的存在から疎外され、類的生活を個人的生存のための手段としてしまう。一般に人間はばらばらな個人として利己的に行動するようになってしまうのである。

†人間の人間からの疎外

労働者が疎外された生産物は、労働者以外の人間、すなわち資本家に帰属する。したがって、労働者は資本家と基本的に対立関係にあることになる。労働者階級と資本家階級との分裂・対立を、マルクスは人間からの人間の疎外としてとらえる。

以上のような、「人間の自己疎外」「労働の疎外」「生産行為と類的存在からの疎外」「人間からの人間の疎外」という疎外の四つの形態を解明したうえで、その根本原因が生産手段の私有にあるから、人間の人間的解放、人間の自己疎外の克服のためには、生産手段の私的所有を積極的に止揚せねばならない、とマルクスは説くのである。

❖シュトラウス（David Straus, 1808-74）
チュービンゲン大学で哲学と神学を学び、ベルリンに移ってからはヘーゲル哲学の影響を強く受けて、ヘーゲル左派の代表者となった。

その著作『イエスの生涯』二巻（一八三五〜三六）のなかで、彼は福音書を検討して、そこに描かれたイエスは歴史的に実在したイエスの真の姿ではなく、キリスト教徒の信仰心が生みだした仮構の人格にすぎないことを明らかにした。この著作は当時においては革命的な神学批判であり、賛否両論が巻き起こり、これを契機として、ヘーゲル学派は左右中央の三派に分裂した。左派のなかではバウアー、フォイエルバッハらの宗教批判が現れた。

一八六四年、彼はふたたびイエスの生涯についての見解をまとめたが、そこではかつての論敵の議論のかなりの部分を容認した。

❖リカード（David Ricardo, 1772–1823）

イギリスのユダヤ人の家に生まれ、株屋として活躍した。「穀物条例論争」（一八一三〜一五）において、地主階級を擁護したマルサスらに対立して、彼は産業資本家階級の立場から穀物条例に反対した。その論証として彼は地主階級の地代、労働者階級の賃金、産業資本家階級の利潤という三階級、三配分論を展開した。

その後『経済学および課税の原理』（一八一七）において、投下労働価値論を展開して注目を集めた。また地代については差額地代論を主張した。土地生産物の価格は、最劣等値における最大投下労働量によって規定され、限界的最劣等値と限界内の優等値との格差が地代として地主に渡されると説いた。資本の利潤については、平均利潤率が下落する傾向をもつことを明らかにした。

第9章　マルクスの共産主義思想

1　マルクスの「共産主義」――共産主義の三段階

『経済学・哲学草稿』では、私有財産（生産手段の私的所有）の積極的止揚の運動は「共産主義」と呼ばれる。そしてマルクスは共産主義を三つの段階に区別している。

第一の段階は「粗野な共産主義」と名づけられる。この段階では、人びとは私的所有・私有財産の支配に深くとらわれているので、あらゆるものを私的所有の対象と考え、それを君が所有するならば私も所有したいというわけで共有を主張し、私有財産として占有されないあらゆるものを否定しようとする。つまり〈私的所有の普遍化と完成〉をめざすのである。人間の人格や才能などは私的所有の対象とならないはずなのに、この「粗野な共産主義」はそれらを私的所有の対象と考え、共有を主張する。

その最もはっきりした表現が女性共有の主張である。この共産主義は女性を所有の対象と考え、君が彼女を所有するのなら私も所有したいというわけで、女性を共同体的な共通の財産にしようとする。マルクスはこの女性共有を「動物的な形態」として非難し、それが「まだまったく粗野で無思想なこの共産主義の告白された秘密だ、といえよう。……この共産主義は——人間の**人格性**をいたるところで否定するのだから——まさにこうした（人格性の）否定である私有財産の徹底した表現であるにすぎない。普遍的な、また力として組織されている**妬み**こそ、**所有欲**がそこで再生され、そしてそれがただ**別の**仕方で満足させられている隠された形態にほかならない」と述べている。つまり、他人の所有しているものは私も所有したいと欲するこの共産主義は、〈妬みの共産主義〉であり、相互に足を引っぱり合って最低限の均分化を実現するのであり、そこでは教養と文明の世界全体が否定されることになる。

共産主義の第二段階は、「(a)民主的にせよ専制的にせよ、まだ政治的な性質をもっている共産主義、(b)国家の止揚を伴うが、しかし同時にまだ不完全で、まだ相変わらず私的所有すなわち人間の疎外に影響されている本質をもっている共産主義」と呼ばれる。「政治的性質」とはなにを指すか明示されていないが、「政治的解放」についてのマルクスの見解を参照すれば、国家の管理統制を意味していると推定できる。この段階には、当時フランスを中心として登場してきていた社会主義思想、共産主義思想のすべてが含まれるように思われる。彼らは私有権の制限ないし廃止を主張し、経済的平等を実現しようとしたが、それは国家の管理統制によって行われるべきだとした。プルードン（Pierre-Joseph Proudhon, 1809–65）らのように、労働者の組織が国家に代わるべきだという無政府主義（アナーキズム）的傾向を示す場合には、労働者は小経営者となるべきだとされ、私的所有の止揚が不徹底のままにとどまった。すなわちマルクスは、当時の社会主義思想、共産主義思想すべてを、人間の類的存在の疎外態としての国家の止揚と、労働の疎外の根本原因である私的所有の止揚という二つの要点からみて、まだ不徹底であるとしたのである。

共産主義の第三段階は、マルクス自身の共産主義であるが、その具体的内容はまだ漠然としている。しかし、とにかく「生産手段の私的所有を積極的に止揚する運動」であることだけは、はっきりしている。そしてそこでは類と個との統一、自然と人間、人間と人間の共存が実現するとされる。そして社会的連帯を身につけた人間こそ、あらゆる人間的能力を全面的に開花させることができると説いている。

2 マルクスの歴史観

†唯物史観の形成

『経済学・哲学草稿』では、あるべき（本来の）人間のあり方に照らして、社会の現状を批判し断罪するという〈評価の立場〉が示されている。このような評価がなければ、現状を変革しようとするエネルギー、情熱が出てこないであろう。しかし、現状の変革を実際に実現するためには、その実現の可能性が科学的に確証されねばならない。つまり、評価の立場は、科学的認識に裏づけられてこそ、変革のエネルギーを正しい方向に導くことができるのである。この場合、科学的認識とは、労働者の自己疎外およびその克服の過程を歴史のなかに見いだすことを意味する。

一八四五年春にエンゲルス（Friedrich Engels, 1820–95）とブリュッセルで会い、ともに力を合わせて思索を進めていったマルクスが、新たに取り組まねばならなかったのは、このような歴史の解明であった。この二人の共同作業の成果は『ドイツ・イデオロギー』（*Die deutsche Ideologie*, 1845–46）という草稿として残されている。そこに示される歴史観は「唯物史観」と後に呼ばれるようになったが、その最大の特徴は、歴史の運動の中核に物質の生産を据えたところにある。

†歴史の四契機と意識のあり方

歴史の第一の前提は、人間たちが歴史をつくることができるためには、生きていることができなければならない、ということである。そして生きるためには、食べること、飲むこと、住居、衣料、そのほか若干のことが必要である。それゆえ、第一の歴史的行為は、これらの欲求を満たすための諸手段の生産、〈物質的生活そのものの生産〉であることになる。

第一の歴史的行為はまた、第二の契機〈新しい諸欲求の産出〉でもあるとされる。なぜなら、最初の欲求が満たされたこと自体が、そして欲求を満たす行為とそのための道具とが、新しい諸欲求を生みだすからである。この諸欲求の産出と物質的生活の生産とは、相互に促進し合うものとして表裏一体をなし、第一の歴史的行為をかたちづくるのである。

歴史の第三の契機は、人間たちが性的欲求を通じて繁殖し、家族をはじめとする〈社会的関係〉をかたちづくるということである。

そして第四の契機は、生産が必ず何人かの協力によって行われ、この協働様式が特定の生産様式、産業段階の基礎をなしていることである。つまり人間と自然との関係である生産様式は、人間と人間との関係である協働様式と不可分に結びついており、そこに生まれてくる生産力の総体が社会状態を規定しているとされるのである。

このようにマルクスとエンゲルスは、歴史の根源的関係を四つの契機としてとらえ、そのうえで意識のあり方に照明をあてようとする。意識はまず「実践的意識」として、他人との「交通」(コミュニケーション)の必要から言語と結びついたかたちで現れる。人間は対象を類のなかの一つとしてとらえ、自分を類のなかの一人として自覚するが、このような類的あり方が意識を発達させるのである。「実践的意識」は歴史の四つの契機と不可分に結びついていて、やがて肉体的労働と精神的労働が別の集団に担われるという「社会的分業」が生じると、「実践的意識」から離れた「純粋意識」——純粋理論、神学、哲学、道徳などのイデオロギー——が現れてくる。「純粋意識」も、生産諸力とそれに照応する交通形態によって規定された社会に生活する人間たちが産出したものであるから、「純粋意識」のあり方は、現実的生活過程のあり方によって基本的に規定されていることになる。

†社会的分業と私的所有と疎外

では、社会的な力の疎外は、どのようにして生じてきたのか。

(1) 家族における自然成長的分業、および対立する家族への社会の分裂から生じる社会的分業は、労働とその生産物の量的・質的に不平等な分配を生み、私的所有が生じる。たとえば妻や子どもが夫の奴隷のような状態にあることは、少量の精神的〈管理的〉労働は夫に、多量の肉体的労働は妻や子どもに分配されていること、多量の良質の生産物は夫に、少量の悪質の生産物は妻や子どもに分配されていることを意味する。したがってそこに私的所有が生まれる。この分業には、資本家と労働者の分業が重ね合わされているといえるから、階級的分業とみることができる。

(2) 分業は、各個人あるいは各家族の〈特殊利害〉と〈共同利害〉との分裂・矛盾を生み、階級分裂が生みだされると同時に、共同利害は現実的利害から切り離されて「国家」という自立した姿をとる。「国家」は〈幻想上の共同性〉を示すにすぎず、その実在的な土台は諸階級の闘争、一階級の支配のなかにある。

(3) 自然成長的な分業の社会、特殊利害と共同利害とが分裂した社会では、「人間の自己本来の行為が、彼にとって疎遠な、対抗的な力となり、彼がその力を支配する代わりに、その力が彼を抑圧する」。「社会的な力、つまり分業によって条件づけられる種々の個人の協働によって生じる、幾倍にもなった生産力は、これら諸個人には、その協働そのものが自由意志的ではなくて、自然成長的であるため、彼ら自身の結合された力としては現れず、むしろなにか疎遠な、彼らの外にある強制力として現れるのである」。

こうして、社会的諸力の発展のためには社会的な協働が不可欠なのであるが、それが自然成長的に放置されているとき、私的所有と結びつくような社会的(階級的)分業へと転化し、生産手段をもつ階級ともたない階級への分裂、幻想の共同体としての国家、疎遠な社会的力という疎外形態をもたらす、というのである。

3 『共産党宣言』――共産主義運動の実践

†共産主義の実践的前提

では共産主義運動に客観的可能性を与える条件はなんであろうか。唯物史観によれば、生産力が一定の発展を達成すると、現存の生産関係、交通形態が生産力の発展を妨げる桎梏となり、そこに革命の客観的条件が生まれる。同時に現存社会に徹頭徹尾対立せざるをえない階級が形成され、共産主義的自覚が現れてくる。この階級が共産主義運動の担い手となるのである。

一八四八年二月に出版された『共産党宣言』(*Manifest der Kommunistischen Partei*)は、この実践的前提を詳細に示したものであった。「これまでのすべての社会の歴史は階級闘争の歴史である」という文章から始まる第一章では、以下のように述べられている。

「この数十年来の工業と商業の歴史は、近代的生産諸関係に対する、ブルジョアジーとその支配との存立条件である所有諸関係に対する、近代的生産諸力の反逆の歴史にほかならない。周期的にくりかえし襲ってきて、ブルジョア社会全体の存立をますます威嚇的に脅かす、あの商業恐慌をあげるだけで十分である。……生産諸力はこの所有諸関係にとって強大になりすぎて、いまではこの所有諸関係が生産諸力の障害となっている。そして、生産諸力がこの障害を突破するとき、それはブルジョア社会全体を混乱におとしいれて、ブルジョア的所有の存立をあやうくする」。「ブルジョアジーは、自分に死をもたらす武器を鍛えただけではない。彼らはまた、この武器を使う人びとをもつくりだした。近代の労働者、**プロレタリア**がそれである」。

†革命の具体的方策

革命によってプロレタリアートが政治権力を奪取したとき、すべての生産手段を国家の手に、すなわち支配階級として組織されたプロレタリアートの手に集中することになるが、それは具体的にはどのようなかたちをとるのか。『宣言』の第二章では、最も進歩した国に適用される方策として、次のことがあげられている。

(1) 土地所有を収奪し、地代を国家の経費にあてること。
(2) 強度の累進課税。
(3) 相続権の廃止。
(4) すべての亡命者および反逆者の財産の没収。
(5) 排他的な独占権をもった、国家資本による単一の国立銀行を通じて、信用を国家の手に集中すること。
(6) 全運輸機関を国家の手に集中すること。
(7) 国有工場と生産用具を増大させること。単一の共同計画によって土地を開墾し改良すること。

(8) 万人平等の労働義務。産業軍、とくに農耕産業軍の設置。

(9) 農業経営と工業経営を統合すること。都市と農村との対立をしだいに除去するよう努めること。

(10) すべての児童に対する公共の無料教育。今日行われている形態での児童の工場労働の撤廃。教育と物質的生産との結合。

†国家の死滅と自由な結合社会

ここで注目されるのは、共産主義革命が遂行されて、階級差別が消滅し、「結合社会」(Assoziation)をつくった諸個人の手に全生産が集中されたとき、「公的権力はその政治的性格を失う」、つまり国家は死滅すると述べられていることである。政治権力は、他の階級を抑圧するための一階級の組織された暴力(Gewalt)である。プロレタリアートが支配階級になるとき、古い生産諸関係を廃止するとともに、階級対立の存立条件、階級一般の存立条件を廃止するから、もはや抑圧のための組織された暴力、つまり国家が不必要になると考えられているのである。マルクスの共産主義思想に基礎をもつとされる現存の社会主義諸国家の状態は、このマルクスとエンゲルスの予想を裏切っているといえよう。『共産党宣言』では、次のように言明されているのである。

「階級と階級対立の上にたつ旧ブルジョア社会に代わって、各人の自由な発展が万人の自由な発展の条件であるような一つの結合社会が現れる」。

4 『資本論』――剰余価値の源泉

一八四八年の革命的状況が去った後も、マルクスは運動の再建のために精力的に活動していたが、五〇年秋には全般的経済恐慌を背景にしてでなければ革命運動を推進できないと考えるようになる。そして資本主義社会の経済的運動法則を経済学的に解明することに全力を傾注するようになる。彼は一八四九年以来ロンドンに移り、大英博物館に長時間過ごして経済学的研究を進め、巨大な研究成果『資本論』(*Das Kapital*, 1867, 1885, 1894) を書き残したのである。

この経済学的研究で注目されるのは、資本主義社会においては等価交換の原則が守られながらも、なぜ資本が利潤を生みだすか、労働者に対する資本家の搾取がどのように行われるかを明らかにしたことである。商品のもっている具体的な使用価値は、それぞれ質的に異なるから、交換のさいの尺度とはなりえない。商品の交換のさいに現れる交換価値は、量が異なるだけで、質は同じでなければならない。それは区別のない同じ人間労働、抽象的一般的人間労働の産物としての価値である。一つの商品の価値の大きさは、その生産に社会的に必要な労働時間――現在の社会において正常な生産条件と、平均的な労働の熟練度と緊張度とをもって、その商品を生産するのに必要な労働時間――が規定する。すでにみたように、資本主義社会では労働者は自分の労働力を商品として売らざるをえない。この労働力商品の価値は、他の商品と同様に、その生産に必要な労働時間(日々の生活に必要な資料を生産するのに要する労働時間)、すなわち必要労働時間によって規定される。ところが、この労働力の機能としての労働は、一労働日に労働力商品の価値よりもずっと大きい価値を生産する。だから労働者が資本家のもとで働く一日の労働時間は、労働力商品の価値を生産するために要する時間(必要労働時間)とそれ以上に資本家のために無償で働く労働時間(剰余労働時間)からなる。そしてこの剰余労働時間が剰余価値を生みだす。たとえば必要労働時間が六時間、一労働日が一一時間の場合、差し引き五時間の剰余労働時間が剰余価値を生みだすことになる。そして、これはそっくり資本家のものとなるのである。

剰余価値を増大させるためには、二つの方法がある。第一に、必要労働時間が一定の場合、労働日（一日の労働時間）が延長されれば、剰余労働時間が増大し、剰余価値が増大する。これは絶対的剰余価値の生産と呼ばれる。第二に、労働日が一定の場合、必要労働時間が短縮されれば、剰余労働時間が増大し、剰余価値が増大する。これは相対的剰余価値の生産と呼ばれる。

こうしてマルクスは剰余価値の源泉を明らかにした。一見、労働力という商品は価値どおりに売買されているようにみえながら、資本家は剰余労働時間を搾取している。マルクスはこの秘密を暴露したのである。また、社会的生産力が技術革新などによって発展していけばいくほど、労働者の生活資料の生産に要する必要労働時間は短くなり、その結果、相対的剰余価値が増大していくことになる。にもかかわらず、労働日が延長された場合とは異なり、労働者にはこのことが明確に認識されえない。マルクスは、この隠れたかたちでの搾取の強化をも暴露したのである。

◆エンゲルス（Friedrich Engels, 1820-95）

ドイツのプロイセンのライン地方にある工業都市バルメンに生まれた。父母は紡績工場の経営者であった。彼は一四歳でギムナジウムに入学したが三年で中退した。

ベルリンで一年間の義務兵役についているあいだに、彼はヘーゲル派の急進的な青年たちと知り合い、彼らの思想を吸収した。一八四二年、彼はイギリスのマンチェスターに行き、父が共同経営している工場で働き始めた。彼はマンチェスターで、資本主義の実態と、それが労働者にもたらす惨状とを直接みる機会を得た。ここで彼はイギリスのスミス、リカード、オーウェン、フランスのセー、フーリエ、プルードンら経済学者・思想家の著作を学んだ。四五年、彼はドイツへ帰る途中ブリュッセルに立ち寄りマルクスに出会った。このとき二人のあいだに生涯にわたる友情と学問的結び付きが生まれた。

第10章　フェビアニズムと社会民主主義

1　フェビアニズムの登場とその特徴

†フェビアン協会の結成

一八三四年にオーウェンの指導のもとで全国的組織を結成した労働組合連合は、その後しだいに社会改善の意欲を失い、政治活動に背を向けて組合員の利益擁護だけをめざす「労働組合主義」(trade unionism) が支配的となった。一八七〇年代末にイギリス産業は不況の波に襲われた。先進的地位を誇っていたイギリス資本主義も、新しい競争者アメリカ、ドイツの登場によって独占的優位を失い、海外の関税障壁のために市場を狭められて、大きな不況の波にさらされたのである。

イギリスにおけるマルクス主義の紹介者ハインドマン(Henry Mayers Hyndman, 1842-1921)らは一八八一年に「民主主義連盟」(Democratic Federation)を結成し、翌年には「社会民主連盟」(Social Democratic Federation)に改組してマルクス主義の立場を明らかにした。この「連盟」の宣言は、「政治的平等の原理に基づき、すべての労働の完全な解放のために、平等な社会的権利をもつ自由な社会の建設」を目的として掲げている。しかしハインドマンのマルクス主義は、労働者からも、マルクス＝エンゲルスからも支持されず、大きな影響を与えることができなかった。

一八八四年、道徳的理想に基づく相互扶助の理想社会建設をめざす「新生活友の会」(Fellowship of the New Life)に集まった少数の青年のうち、ヘンリー・ジョージ(Henry George, 1839-97)の『進歩と貧困』(*Progress and Poverty*, 1879)を読んで感激し、理想社会は単なる精神革命だけではできず、社会組織を改革することが必要だと考えた人たちが「フェビアン協会」(Fabian Society)を結成した。ポドモア(Frank Podmore, 1856-1910)、ピーズ(Edward Reynolds Pease, 1857-1955)、ブランド(Hubert Bland, 1856-1914)らが創立メンバーであり、まもなくショー(George Bernard Shaw, 1856-1950)が入会し、その紹介でウェッブ夫妻(Sidney James Webb, 1859-1947; Beatrice Webb, 1858-1943)が加わった。

「フェビアン協会」の名は、ローマの将軍フェビウスからとられた。彼はカルタゴと戦ったさい、持久戦でハンニバルを悩まし、最も有利な地点まで退却した後、反転討ってでて敵を撃破した。この故事にならって、猪突猛進を避けて漸進的に、議会制民主主義を通じて社会主義の実現をめざすという意味が込められている。『フェビアン・トラクト』（*Fabian Tracts*）第一号（一八八四年刊）は、「なぜ多くの者は貧乏なのか」と題されているが、貧困の原因は資本私有の生みだす不平等にあるとし、資本の公有化こそが救済策であると説くだけで、その社会主義の具体的内容や実現の方法については述べられていない。

†フェビアニズム

出発の時点では漠然としていたフェビアニズムの社会主義の内容も、知的な討論が重ねられるにつれて、しだいに具体化されていく。その討論をリードしていったのはウェッブ夫妻とショーであった。会員にはさまざまな立場の人があり、それが一つの特徴となっているが、共通の方向づけがあることもたしかである。一八八七年に協会参加の基準として公表された『フェビアン協会の原理』によると、「フェビアン協会は社会主義者から成る。したがって、協会は土地と産業資本を個人および階級の所有から解放し、それらを一般的利益のために社会に帰属させることによって社会改造を達成しようとするものである」。

フェビアニズムの社会主義思想の特徴は、第一に、マルクス主義の場合のような統一的・包括的な世界観をもたず、特定の理論よりも具体的なプログラムを重視する点にある。社会主義の実現をめざすという共通の方向づけがあるだけで、その基礎となる哲学や歴史観や理論は、人によってかなり異なる。「社会主義は時と所とを問わず常に適用されるような固定した教理ではなく、必要と条件の変化とに照らして不断に再解釈されることが必要な原理である」というコール（George Cole, 1889–1959）の言葉が示しているように、現実や経験から学びとっていくという現実主義的態度がみられる。

第二の特徴としてあげられるのは、社会主義実現の方法として、思想や政策を、政治家と知識階層に浸透させ、立憲的方法で実現させていくという道を採ることである。後にみるように労働党の結成に一役買い、第一次世界大戦ごろから労働党の頭脳として活躍するようになるが、もともと協会員たちは地道な研究を行い、その成果を政治家や知識階層に公表し、理論の実践をその人たちに期待したのである。

第三の特徴としては、マルクス主義のように社会主義の担い手をプロレタリアートだけに限定しないことがあげられる。ウェッブの書いた『労働と新社会秩序』(*Labour and the New Social Order*, 1918)によれば、方針として、①国民の最低生活水準の保障、②産業の民主的管理、③財政における革命的変革(再配分的課税)、④余剰の富の公共福祉のための支出、などがあげられ、国民全体の立場から方針が立てられている。

第四の特徴としては、経済理論としてリカードの差額地代論やジェヴォンズ(William Stanley Jevons, 1835-82)の限界効用理論を採用していることがあげられる。ある社会で最劣等の土地で通常の労働力を用いて生産される生産物が生産価格となり、労働者の資金となる。よりよい土地で同量の労働力により生産された生産物は差額を生む。それは土地の優秀さによるか、労働者の熟練によるか、資本の使用によるかである。他の工業生産物についても同様の差額が生じる。生産手段が私有されている社会では、この差額が生産手段の所有者の手に収められる。土地や資本の所有者は労せずしてこの差額を社会から搾取していることになる。また、このような不労所得は経済的不平等を拡大させ、その結果、貨幣の価値が富者にとって低下し、生産物の効用が減少する。生産力が増大したにもかかわらず、社会全体の効用すなわち福祉が増加しないのは、富が偏在しているからである。それは土地と資本との私有の結果であるから、それを廃止すべきである、と彼らは考えるのである。

†「労働党」の成立

労働者の組織化は労働組合によって進められてきたが、自由党に依存することをやめて、労働者階級の擁護をみずからの手で行う政党を結成しようとする動きが現れ、一八九三年に北部イングランドのブラッドフォードで全国的な「独立労働党」結成大会が開かれた。その出席者は、地方の独立の労働党代表、地区労働組合代表、「フェビアン協会」のショーらである。その議長には非国教徒として宗教心のあついケア・ハーディ（James Keir Hardie, 1856–1915）が選ばれ、政治綱領としては、八時間労働、時間外労働廃止、一四歳未満の少年労働の廃止、疾病・養老・寡婦年金の支給、土地・生産手段の集団的所有、無料の初等・中等・大学教育の実施、失業者への仕事の提供、間接税の廃止、不労所得の廃止が掲げられ、選挙権の拡大と政府機構の民主化が当面の課題とされた。

一九〇〇年二月、「独立労働党」の提唱によって、「労働組合会議」「独立労働党」「社会民主連盟」「フェビアン協会」の代表がロンドンのメモリアル・ホールに集まり、「労働代表委員会」（Labour Representation Committee）を結成した。これは労働団体の団結をはかり、下院の労働者議員を増大させて、労働者のための立法をめざすものであった。一九〇六年の総選挙で、「労働代表委員会」は三〇人の当選者を出し、大会で正式に「労働党」(Labour Party)を名乗るようになった。しかし、「労働党」の主導権は労働組合が握り、社会主義への志向は薄くなった。一九一八年の党大会で、「労働党」は「フェビアン協会」の協力のもとに新しい憲章を採択し、社会主義をめざすようになる。「生産手段の共同所有と、各産業およびサービスの民衆による管理と統制との最善の制度のもとに、精神労働者および肉体労働者に、彼らの勤労の全成果と、そのできる限り公正な分配を確保すること」を党の目的とするようになったのである。

2 ドイツにおける労働運動

†「社会主義労働党」の結成

ドイツでの労働運動の統一が実現したのは、一八七五年であった。一八六三年にラッサール(Ferdinand Lassalle, 1825–64)の指導のもとに結成された「全ドイツ労働組合連合」は、普通平等直接選挙の実現をめざし、資本による労働の支配を批判し、国家援助に基づく生産者協同組合の創設を提唱した。そして一八七四年の帝国議会選挙で、ラッサール派の社会主義政党は一八万三一九票を獲得するまでに成長した。他方、アイゼナッハ綱領を奉じる「社会民主労働党」は一八六九年に結成され、その指導者ベーベル（August Bebel, 1840-1913）とリープクネヒト（Wilhelm Liebknecht, 1826-1900）はマルクス主義者であった。その綱領には「すべての奴隷状態の根源は労働者の資本家への経済的従属である。したがって社会民主労働党は、協同組合的労働により、また今日の生産様式および賃金制度の廃棄によって、すべての労働者がその労働生産物を十分手にしうる社会の実現のために闘う」と記されている。このアイゼナッハ派は一八七四年の選挙で一七万一三五一票を獲得した。両派の得票を合わせると、総投票数の六%以上である。

そこで翌年に両派の統一をめざし、ゴータで大会が開かれ、「社会主義労働党」を結成し、『ゴータ綱領』を発表した。綱領は「自由国家と社会主義社会」の実現は「あらゆる合法的手段で」なされるべきことを要求し、「賃金制度の廃棄による賃金鉄則の打破」を主張し、「あらゆる形態における搾取」の撤廃と「あらゆる社会的政治的不平等の除去」を要求している。また個別要求としては、普通平等直接選挙権、すべての結社法および出版法の廃止、一般的で平等な公教育、累進課税、標準労働日、児童労働の禁止、全地域に及ぶ生産者協同組合の設置などがあげられている。全体としてマルクス主義とラッサール主義との妥協が示されており、マルクスは『ゴータ綱領批判』を発表した。

†「社会民主党」の発展

「アメとムチ」(懐柔と弾圧)の国家主義的社会政策を採るビスマルク(Otto Bismark, 1815–98)は、一八七八年には「社会主義者鎮圧法」によって労働運動に対する圧迫を強化したが、八一年の帝国議会選挙で「社会主義労働党」は三一万余票を獲得し、議会に一二人の社会主義者を送り込んだ。そして一八九〇年には、ビスマルクが失脚し、「鎮圧法」が廃止され、同党は「ドイツ社会民主党」(Sozialdemokratische Partei Deutschlands)と改称し、翌年エルフルトの大会において、カウツキー(Karl Kautsky, 1854–1938)によって起草された「エルフルト綱領」を採択し、マルクス主義を理論的基礎とした。「ドイツ社会民主党」は一八九〇年の帝国議会選挙で、全投票数の二〇%近くにあたる一四二万余票を獲得し、議員三五人を得たのである。

このように「社会民主党」は勢力を拡大していったが、同時にドイツの社会状況の変化に直面しなければならなかった。ドイツの資本主義的経済活動は大きく発展し、独占段階に達するとともに、労働者の経済的地位も向上してきた。そして政府も、外に向かっては帝国主義的対外膨張をめざすと同時に、内に向かっては民主主義勢力に対する譲歩・妥協の姿勢を示すようになった。このような社会状況の変化に対応するように、「社会民主党」の内部で、マルクス主義理論に変更を加える「修正主義」が登場してきたのである。

3　ベルンシュタインの「修正主義」

†「修正主義」の哲学

「修正主義」の提唱者となったベルンシュタイン（Eduard Bernstein, 1850–1932）は、一八七二年にアイゼナッハ派に加入し、「社会主義者鎮圧法」の成立直前にスイスへ移り、チューリヒで党の機関紙『社会民主主義者』の編集にあたり、八八年、スイス政府の国外追放にあい、ロンドンに亡命した。そして帰国が許された一九〇一年までロンドンで政治運動を続けながら、社会主義の研究を進めた。その間、彼は「フェビアン協会」の指導者たちと親交を結び、フェビアンの漸進主義的・改良主義的な社会主義に強い影響を受け、マルクス主義の修正を企てるようになった。

ベルンシュタインは一八九六年から九八年にかけて『新時代』(ノイエ・ツァイト)に「社会主義の諸問題」という題の連続論文を発表し、マルクス主義の基本テーゼに対する

ベルンシュタイン

全面的修正を試み、『社会主義の諸前提と社会民主主義の任務』(*Die Voraussetzungen des Sozialismus und die Aufgaben der Sozialdemokratie*, 1899)を公刊した。そのなかで彼は、マルクス主義の中間階級の消滅、搾取の増大、階級闘争の尖鋭化論を分析し、これらの命題はすべて経験的事実に反するとし、これらの命題が「矛盾」の弁証法に基づくところから、ヘーゲル弁証法を批判し、社会主義を弁証法から離脱させようとする。歴史は矛盾(対立物の闘争)を通じて弁証法的に発展するという考えの代わりに、彼は「有機的発展史観」を提示する。資本主義の経済過程のなかにすでに社会主義が内在しており、漸進的に社会主義へ移行することができる。「私はあらゆる発展

の根源は対立物の闘争であるという見解をとらない。関連する諸力の協調もまたきわめて重要である」と彼は述べている。

また、マルクスが社会的生産力と生産諸関係のあり方こそ意識のあり方を基本的に規定するとしたのに対し、ベルンシュタインは人間による社会環境の管理が増大するにつれて、「倫理的要因」に独自の行動の余地が大きく与えられるとし、プロレタリアの生活改善についての関心には、倫理的判断が含まれていると説く。社会主義は自然必然的に実現するものではなく、倫理に基づく実践によって、はじめて実現されると説くのである。

このようなベルンシュタインの哲学は、新カント派、とくにマールブルク派の倫理的社会主義に近づいているといえる。

†「修正主義」の政治経済学

マルクスは、競争と信用制度のために資本は必然的に集中し独占へと進むとした。それに対しベルンシュタインは、資本の集中が現れることは確かだが、中小企業は存続しつづけると述べる。そして、彼は中間階級の消滅と有産者数の減少というマルクスの見解に対して異を唱える。彼は所得統計を引合いに出して、「有産者数は絶対的にも相対的にも増大している」とし、中間階級についても、技術者、ホワイトカラー、事務員、店員、官吏らがますます増大していることを指摘し、この「新中間階級」と労働者との連帯が必要だと説く。また、マルクスの窮乏化論は事実に反するとし、資本主義の必然的崩壊論に対しても、資本主義が市場の無政府性を克服しつつあり、不況もしだいに緩やかになる傾向があるとする。

マルクスはプロレタリアートが革命によって政治権力を奪取し、プロレタリア独裁のもとで社会の根本的変革を実行するという路線を示していたが、ベルンシュタインはこの路線を「ブランキスム」（ブランキ〈Louis Auguste Blanqui, 1805-81〉の提唱した秘密結社による行動主義）として否定し、議会の民主主義を通じて労働者階級の権利を拡大していき、漸進的に社会主義に達するという路線を提示する。彼は「一夜のうちに権力を手に入れるという妄想を捨て、労働者階級が立法や国政にますます強い影響力が確保できるようなかたちで政権闘争を闘う」必要があると述べ、そのため当面の問題の解決に全力を注ぐべきだとするのである。「私にとっては、運動がすべてであって、一般に社会主義の究極目標といわれるものはなんの意味もない」という有名な文章は、この路線を示している。彼の路線は「改良主義」「修正主義」として非難されたが、その後「ドイツ社会民主党」の方向を決定づけたということができる。

◆ショー（George Bernard Shaw, 1856–1950）

アイルランドのダブリンに生まれ、二〇歳のときロンドンに出て、批評や評論を書き始めた。一八八四年に彼の小説「非社会的社会主義者」が『現代』誌に掲載された。またこの年に「フェビアン協会」に加入した。彼の編集した『フェビアン社会主義論集』（一八八七）は、経済と階級構造の重要性を強調している。彼は二七年間「フェビアン協会」の執行委員を務めた。

彼はまた一八九二年から一九四七年まで多数の有名な戯曲を執筆した。一九〇四年から三年間ロンドンのロイヤル・コート劇場で、シェークスピアとともにショーの一一の戯曲が七〇一回にわたって上演された。二五年、彼はノーベル文学賞を授与された。

◆ジェヴォンズ（William Stanley Jevons, 1835–82）

ロンドン大学で学び、一八六六年にマンチェスターのオーウェンズ・カレッジの教授になってから、七六年にロンドン大学の教授となった。

主著『経済学の理論』（一八七一）は、数学的方法を経済学に導入し「限界効用説」を展開した。彼は古典派経済学の客観的価値論に反対して主観的価値論を主張し、「最終効用度」（限界効用のこと）の概念を導入して、それに基づいて理論を展開した。そこでは、経済行為は財の最終増加分に対する評価、すなわち「最終効用度」に従って行われるとされる。そして、これに基づいて消費や交換や生産などの諸関係を解明しようとし、経済学を人間の欲望充足の計算体系として再建することを主張した。

ラッサール（Ferdinand Lassalle, 1825-64）

ブレスラウ大学とベルリン大学に学び、とくにベルリン大学時代にはヘーゲル哲学に熱中した。

労働者の共同組合に基づく国家の再建をめざし、マルクスのように革命によるブルジョア国家の打倒をめざすことに反対した。彼によれば、社会主義はフランス革命から絶対平等の原理を、資本主義から実質的生存条件の原理を継承するものだとされる。彼は一八五〇年代に盛んになったドイツ労働運動の指導者として活躍し、ドイツ社会民主党の母胎となった「全ドイツ労働者協会」の結成をもたらした。

一八六四年、党員数がまだ数千人にすぎなかった頃、彼は少女との醜聞に巻き込まれ、決闘の場で殺された。

リープクネヒト（Wilhelm Liebknecht, 1826-1900）

ギーセン大学とベルリン大学で言語学、哲学を学んだ後、社会主義的活動にかかわるようになった。一八四八年、ドイツ革命に参加したが、敗北しスイスに逃れた。スイスからも追放され、ロンドンに亡命した際、マルクスとエンゲルスの指導を受けた。

一八六二年に、恩赦を受け帰国してから、全ドイツ労働者協会に参加し、その後ベーベルとともに、ザクセン人民党、社会民主労働党を結成した。アルザス・ロレーヌ併合に反対し投獄されたが、七四年から亡くなるまでのあいだ国会議員となり、社会主義者鎮圧法の廃止などに尽力した。七五年には、ラッサールとともにドイツ社会主義労働者党を組織、第二インターナショナルの指導者として活躍した。

ビスマルク（Otto Bismark, 1815–98）

ドイツのシェーンハウゼンに生まれ、ゲッチンゲン大学に学び、一八三六年、弁護士の資格を得た。五一年プロイセン国王フリードリヒ・ヴィルヘルム四世は、彼をドイツ連邦フランクフルト議会のプロイセン代表に任命した。彼は立派に職務を果たし、公使として五四年にはウィーンに、五九年にはペテルブルグに、六二年にはパリに赴任した。

一八六二年、ヴィルヘルム四世の後継者ヴィルヘルム一世は、彼にプロイセンの政府を一任した。彼が宰相として予算委員会に対し「時局の重大問題は演説や投票によってではなく、鉄と血によってのみ解決される」と述べたことは有名である。彼は外交問題に取り組み、相次ぐ戦争に勝利を収めてシュレスヴィヒ・ホルシュタイン、ハノーヴァー、エッセン・カッセルおよびフランクフルトをプロイセンに併合した。

カウツキー（Karl Johann Kautsky, 1854–1938）

プラハに生まれ、ウィーン大学に学んだ。一八八〇年頃リープクネヒトとベルンシュタインに出会い、マルクス主義者になった。八七年には「ドイツ社会民主党」の理論誌『新時代』（ノイエ・ツァイト）の編集者となり、マルクス主義理論の普及に努めた。

彼は資本主義の没落を確信しながらも、政治的民主主義の実現を通してのみ社会主義が可能になると主張し、急進的な左派とは見解を異にしていた。一八九一年には社会民主党の公式綱領となった『エルフルト綱領』の大半を起草した。そしてベルンシュタインをはじめとする修正主義的傾向に厳しく対立した。彼はまたロシアのボルシェヴィキ革命に対して反対の立場をとり、レーニンらと対立することになった。

第11章　マルクス主義思想の展開

1　ナロードニキ主義からレーニン主義へ

†ナロードニキ主義の展開

ロシアは一八五五年にクリミア戦争で敗北し、農民大衆の不満の爆発を避けるために、政府は農奴解放をはじめとする一連の改革に取り組まざるをえなかった。この時期に、ゲルツェン（Aleksandr Ivanovich Gertsen, 1812-70）、チェルヌイシェフスキー（Nikolai Gavrilovich Chernyshevskii, 1828-89）を中心とする社会主義を志向する人びとが、知識人のあいだに影響力を拡げていった。そして一八七四年には、「人民のなかへ」（ヴ・ナロード）の運動が始まり、多数のロシアの知識人青年男女が農村へと向かった。この運動の参加者はナロードニキと呼ばれ、運動を支える思想はナロードニキ主義と呼ばれた。その思想的源泉は、ゲルツェンやチェルヌイシェフスキーの農民社会主義である。

ナロードニキ主義の主要な関心は、農民大衆の解放であり、農民への働きかけを活動の目標とした。そして高い倫理性が要求された。つまり自分の教育と社会的地位が人民大衆の過酷な労働に負うていることを自覚した知識人（インテリゲンチャ）は、人民へ自分の負債を返すため、彼らの解放に自己犠牲的な奉仕をすべきだと説くのである。この運動は政府の弾圧によって窮地に陥り、一八七八年には二組織に分裂した。その一組織の指導者プレハーノフ（Georgii Plekhanov, 1856–1918）はナロードニキ主義に疑問をもち、一八八〇年にジュネーブに亡命してからマルクス主義の研究に打ち込んだ。彼はマルクス主義をロシアの社会主義運動に適用しようとしたのである。

†ナロードニキ主義の克服

レーニン（Vladimir Iliich, Lenin〈本名〉Uliyanov, 1870–1924）の兄アレクサンドルはナロードニキの一派に属し、一八八七年、皇帝アレクサンドル三世の暗殺をはかって絞首刑となった。レーニンは兄の革命的情熱に深い尊敬を抱いたが、その後マルクスの『資本論』などを研究するにしたがって、ロシア解放の思想的基礎はマルクス主義に求めるべきであって、ナロードニキ主義にではないこと、その闘争方法が労働者階級の団結による運動であって、インテリゲンチャの英雄的テロリズムではないことを知り、ナロードニキ主義の克服から思想家・革命家として出発した。

ナロードニキ主義は、農民の共同体を発展させていけば社会主義を実現できると考え、農民に革命の主体を求めていた。そしてロシアでは資本主義が発達する可能性がなく、したがって賃金労働者が増大する可能性もないと考えていたのである。それに対しレーニンは、没落した農民たちは、いやおうなしに賃金労働者になるのであり、資本主義はロシアでも発達してくると考える。彼は非合法運動のために一八九五年に逮捕投獄され、九七年にシベリアに流刑となったが、その地で大著『ロシアにおける資本主義の発達』を書いたのである。

†ボルシェヴィキの政治路線

レーニンは一九〇〇年に許されて帰国し、ドイツ、スイスなどで活動した。彼のシベリア流刑中に成立した「ロシア社会民主労働党」の第二回大会（実際の結成大会）が一九〇三年にロンドンで開かれたとき、中央指導機関の選出にあたって、レーニン

レーニン

の率いるグループが「多数派」（ボルシェヴィキ）を占め、「少数派」（メンシェヴィキ）と対立した。「少数派」は、ロシアでは労働者階級はまだ組織されておらず、農民は皇帝の支配にならされ、社会主義に憎悪をもっているから、とりあえずブルジョアジーの主導によって民主主義革命を実現すべきだと考えていた。それに対し「多数派」は、ロシアのブルジョアジーには民主主義革命を実行する能力はなく、この革命を遂行できるのはプロレタリア階級であり、労働者の組織が全農民と同盟を結んで革命のために立ちあがるべきだと主張した。そしてレーニンは、労働者階級の主導のもとで労農同盟を組み、権力を奪取して労農民主独裁を実現したとき、続いてブルジョアジーに対する闘争を開始することができ、ブルジョアジーから生産手段を収奪して社会主義の建設に進むことができると説いた。

また「多数派」と「少数派」とは、党の組織原則についても対立した。「少数派」が党員の資格を広く認めようとしたのに対し、レーニンは党の綱領を承認し、物質的に党を支持し、党の組織の一つに参加する者だけに党員を限るべきだとし、党員の選抜を厳格に行い、中央集権的組織をつくることを主張した。弾圧のもとで地下活動を行うという党のあり方をレーニンは示したのである。

2 レーニンのプロレタリア独裁

†帝国主義の段階

第一次ロシア革命（一九〇五～七年）の挫折後、レーニンはジュネーブに亡命し、以後ヨーロッパ各地で運動を指揮したが、一九一六年に『資本主義の最高段階としての帝国主義』を書き、資本主義が二〇世紀に入って新しい段階に達したことを明らかにした。彼によると、帝国主義は資本主義の独占段階であり、独占を生みだすほど高度に発達した生産の集積と資本の集中が現れ、独占産業資本と独占銀行資本とが融合して、金融資本を基礎とする金融寡頭制が成立する。そして商品輸出とともに、資本輸出が大量に行われ、後進国が先進国の独占資本の支配下におかれ、世界を分割する国際的な独占的資本家団体が形成される。このような経済的変化が現れるが、すでに地球上は最も強大な資本主義国によって領土として分割されてしまっている。したがって独占段階に達した資本主義は世界の再分割をめざす帝国主義政策を、必然的に生みだすことになる。その結果は、不可避的に戦争を引き起こす。

レーニンは、このように資本主義の発展をとらえ、世界各国においてその発展は不均等であるとし、「個々の企業、トラスト、産業部門、国家の均等な発展は資本主義のもとではありえない」と述べる。このような資本主義の不均等な発展とともに、帝国主義国と植民地・従属国との対立が激化しているのである。

†一国社会主義革命

これまでの労働運動、革命をめざす運動においては、プロレタリアートの国際的連帯が強調され、プロレタリア革命は一国において勝利を占めることは不可能であり、すべての先進国あるいは大多数の先進国の同時的な革命が必要であると考えられていた。

それに対しレーニンは、帝国主義の段階における資本主義の不均等な発展、戦争を不可避なものとする帝国主義内部の矛盾の激化、世界各国における革命運動の成長などの諸条件からみると、一国で社会主義革命が勝利することが可能であると説く。

「資本主義の発展は、さまざまな国で著しく不均等に行われる。……ここから、社会主義はすべての国で同時に勝利することはできない、という不易の結論がでてくる。社会主義は、最初、一国または数カ国で勝利するであろう」とレーニンは語るのである。ただしレーニンは、一国において社会主義建設が完成できるとは考えていなかった。とくに経済的に西ヨーロッパよりはるかに遅れていたロシアにおいて社会主義建設を達成するためには、西ヨーロッパで革命を実現したプロレタリア国家の支持と援助が必要である、と一九一七年の十月革命後でもレーニンは考えていたのである。

†プロレタリア独裁とソヴィエト

一九一七年の十月革命直後に公刊された『国家と革命』において、レーニンはプロレタリアートによる新しい国家のあり方を提示した。社会の根本的変革は、プロレタリアート独裁のもとでのみ達成できる。プロレタリアート独裁においてのみ、より徹底した民主主義を実現できる。歴史上の民主主義は一定の範囲内での民主主義である。ブルジョア民主主義はブルジョア独裁のもとでの狭い範囲の民主主義であり、プロレタリア民主主義はより広い範囲の、つまり抑圧されていた多数者の民主主義であると説かれる。

そしてレーニンは、このプロレタリアート独裁の具体的な形態を「ソヴィエト」(soviet) に見いだす。「ソヴィエト」は、一九一七年の二月革命のさいに、労働者・農民・兵士の革命指導機関として組織された「評議会」である。レーニンはそれを国家機関とし、人民と密接に結びついた民主的組織とし、三権分立を廃止し、立法権と執行権を統合して行動的な機関とするよう提案したのである。

3 ルカーチによる階級意識の問題提起

一九一七年のロシアにおける革命の勝利は、強烈な衝撃を西ヨーロッパ各国に与えたが、ハンガリー革命とドイツ革命は、それぞれ一九年と二三年に敗北に終わった。西ヨーロッパの先進諸国においては、労働者の数は増大し、労働者組織は拡大し、労働運動も活発であったが、労働条件が改善され、賃金もしだいに上昇し、生活も窮迫状態を脱するとともに、労働者の革命意識は稀薄になり、議会に代表を送り込んで労働者の権利を拡張していくというベルンシュタイン的「修正主義」路線が支配的となった。

ハンガリーのブダペストに生まれたルカーチ (György Lukács, 1885-1971) は、ドイツ諸大学で哲学、美学を研究していたが、一九一八年に帰国してハンガリー共産党に入党し、翌年革命を達成、教育人民委員となった。しかし、革命政権はルーマニア軍などの干渉で倒され、彼はウィーンに亡命した。そして彼は『歴史と階級意識』(*Geschichte und Klassenbewußtsein*, 1923)を発表し、階級意識の問題を改めて提起したのである。

ルカーチによると、プロレタリアートは社会を意識的に変革するという課題を与えられているから、彼らの階級意識のなかに、直接の利害と究極目的との弁証法的矛盾が現れてくる。直接の利害、生活に結びつく具体的要求は資本主義社会に内在しており、この社会の経済的構造に従属している。それは資本主義社会を根本的に変革するという究極目的と分裂し矛盾するのである。このような矛盾をはらんだ階級意識を、革命的な主体に鍛えあげるためには、内的変革が必要なのであり、意識の自己変革が不可欠なのである。つまり革命は、客観的必然性によって自然発生的に起こるのではなく、労働者階級

ルカーチ

が階級のおかれている歴史的構造（客観的可能性）を自覚することによってのみ、革命的主体が形成されるのである。

4 経済領域における物象化

†物象化の本質

ルカーチはまた、資本主義社会において、物象化が社会のあらゆる領域において支配的になっていることを指摘する。マルクスは『資本論』において「商品の物神的性格とその秘密」という節を設け、商品形態においては、人間と人間との関係が物と物との関係として現れ、人間の諸活動が商品という物の属性として現れることを明らかにした。

「商品形態の秘密はただ次のことにある。すなわち、商品形態は、人間自身の労働の社会的性格を、労働生産物そのものの対象的性格として、これらの物の社会的な自然属性として人間の目に映させ、したがってまた、総労働に対する生産者たちの社会的諸関係をも、諸対象の彼らの外部に存在する社会的関係として人間の目に映させる、ということである。……ここで人間にとって諸物の関係という幻影的な形態をとるものは、ただ人間自身の特定の社会的関係でしかないのである」。

このようなマルクスの指摘を受けとめて、ルカーチはそこに「人間の自己疎外」を見いだす。

「この物象化の基本的事実によって、人間独自の活動、人間独自の労働が、なにか客体的なもの、人間から独立しているもの、人間には疎遠な固有の法則性によって人間を支配するもの、として人間に対立させられる、ということが確認されねばならない」。

こうして人間から独立した物と物との関係の世界（市場での商品の運動の世界）が現れ、人間にとって制御できない諸力として人間に対立し、また労働も人間から離れて商品となり、人間には疎遠な社会的法則に支配されることになる。

†労働過程の物象化と抽象化

このような物象化は必然的に労働過程の抽象化をもたらす、とルカーチは考える。マルクスは商品の価値を生みだすものが「抽象的人間労働」であることを解明した。ルカーチはそれを受けとめて、商品を生産する労働が「抽象的人間労働」という性質をもつから、実際に〈労働そのもの〉の抽象化が生じると説くのである。

この労働過程の抽象化は、どのようなかたちで現れるか、時計をつくる労働過程を例にしてみよう。手工業的段階では、職人は完成した時計のイメージを頭に浮かべながら、仕事の段取りを考え、部品をつくりはじめる。そこでいくらかの分業が行われたとしても、それぞれの役割は有機的に結びついており、また仕事の内容はそれぞれ異なる。したがって、どれだけの労働時間が必要であるかも簡単には計算できない。腕前の良さや悪さが労働時間に大きく響くのである。それに対し、機械装置によって時計を生産する場合は、ネジをつくる労働も歯車をつくる労働も基本的には同質である。したがって労働過程は細分化され、専門化される。生産の能率を高めるためには、ネジをつくる労働者はもっぱらネジをつくることに専念させた方がよい。しかもネジがどんな時計の部品になるか、さらには時計以外のものの部品になるかは、どうでもよいことになる。こうして労働過程は、同質のものとして抽象化されているから、生産能率という観点からばらばらに分解され、労働者と完成した生産物との関係が切断される。このように部分作業を単純化し規格化したとき、労働過程は計算できるものとなり、計算に基づいて労働組織を合理化することができるようになる。

こうして労働者は、はっきり決められた権限や責任、規格化された作業のなかにはめ込まれることになる。その結果、労働者の人間としての個性や特性は、むしろ誤ちを犯す源とみなされる。労働者自身も機械化された部品として機械体系のなかに編み込まれるのである。機械体系は労働者の意志とは関係なく自立的運動を行っており、労働者はいやおうなしに機械体系の運動に従わねばならなくなる。したがって労働者は、労働過程を担う主体となりえず、傍観的態度に陥るのである。また労働者はみずからの労働力を商品として売るのであり、その瞬間から、労働力は資本の価値増殖過程に組み入れられ、経営者の意志に従わせられる。そこには生産のための組織があるが、それは能率本位のものであって、労働者たちが人格的に結びつく機会は少なくなり、かつては共同作業によって確保されていた連帯意識が失われる。こうして労働者は孤立化し、自分個人の利害だけを考えるようになる。

5　人間意識における物象化

ルカーチは経済的領域における物象化を解明したうえで、さらに法律や政治の領域、学問や思想の領域にも物象化が浸透していることを指摘している。ここでは物象化が人びとの意識にどのような変化を与えるかを見てみよう。

第一に、資本主義的商品生産において、価値は同質化され量として計算されるものとなった。この同質化が意識にも現れる。対象をとらえる場合に、その質的なものを無視して量として計れるものだけを見いだそうとする。たとえば万年筆についていえば、それが書きよいか、美しいか、といったことよりも、何センチメートルの長さ、太さであるか、ペンがどれだけの金を含んでいるか、価格はいくらであるか、ということが問題とされるようになるのである。

第二に、目の前に与えられた現象をそのまま受け取り、その背後にある諸関係をとらえようとしなくなる。商品関係の物象化においては、物と物との表面的関係だけが人間の目に映じて、その背後にある人間関係が見落とされてしまうが、そのような受動的で直接的な態度が他の関係においても現れる。たとえば、現に起こっている物価の異常な上昇が、どのような社会的背景、社会的諸関係から生じてきたかを考えようとせずに、物価上昇という現象を所与のものとして受け取り、自分の財産を守るにはどうしたらよいか、ということだけ考える者が多くなるのである。

同様にまた、与えられた現象をばらばらに切り離してとらえ、その相互連関をみようとしなくなる。個々の事実は、その相互連関と社会総体の構造における位置によって存在と機能と変化を与えられるのであるが、物象化された意識ではそのような相互連関や構造的位置を認識することができなくなるのである。

したがってまた、物象化された意識は、所与の事実を固定して考え、歴史的に変化しつつあるもの、対立をはらんでいるものとして把握することができない。だから歴史の発展を担う主体とはなりえないのである。

こうして物象化が意識の内部に浸透しているとルカーチは説き、この物象化を脱し、物象化を生みだす社会構造を根本的に変革するためには、プロレタリアートの立場に立たねばならないと主張する。プロレタリアートの意識も物象化されているのであるが、彼らは自分の労働力を商品として売り、みずから商品にならねばならないから、かえって商品のもつ秘密を自覚し、社会構造の根底的認識に達することができる、と説くのである。

↓ゲルツェン（Aleksandr Ivanovich Gertsen, 1812–70）

本名はヤーコヴレフであり、モスクワに生まれた。一八二九年にモスクワ大学に入学し、物理学、数学を学んだが、社会主義思想に触れ、学生の小グループの指導者となった。とくにサン-シモンの『新キリスト教』に強い影響を受けた。新キリスト教を精神的な支柱として、人間による人間の搾取を廃絶するという構想に感動したのである。三三年に大学を卒業したが、翌年、革命思想を宣伝したかどで逮捕され、シベリアへと追放された。

その後、彼はヘーゲル哲学を学び、その歴史的弁証法のなかに社会変革を正当化する論拠を見いだした。一八四七年にロシアを出国し、西欧に生活したが、西欧社会に幻滅し、ロシアのオブシチナ（村落共同体）にある平等の伝統、土地の集団的所有、自治社会などが、社会主義社会の事実上の種子であると主張するようになった。

↓チェルヌイシェフスキー（Nikolai Gavrilovich Chernyshevskii, 1828–89）

ロシアのサラトフに生まれ、一八五五年にペテルブルグ大学に卒業論文「現実に対する芸術の美学的関係」を提出した。この論文で彼は、芸術とくに文学は現実を正確に描写し、説明し、昇華するべきであるとした。その後彼は急進的な雑誌『同時代人』の指導的理論家として活躍した。

彼の経済理論は社会主義的であり、生産物はそれを生産した者にのみ属するべきだと主張した。生産者である「勤労貧民」とは、労働者と農民を意味し、協同組合を基礎とする工業と農業を含む自主的な共同生活体を建設することをめざした。一八六一年にツァーリ（皇帝）は農奴を解放したが、チェルヌイシェフスキーはこの改革が表面的なものにとどまると批判し、農奴制を完全に廃止するには社会革命が必要だと主張した。

↓プレハーノフ（Georgii Plekhanov, 1856–1918）

一八七三年にペテルブルグの砲兵学校に入学したが、ツァーリ（皇帝）に忠節を尽くすべきか民衆に誠実であるべきかに悩み、退学して革命運動に加わった。

一八八〇年にヨーロッパへ亡命してマルクス主義を研究し、『社会主義と政治闘争』(一八八三)、『われわれの意見の相違』(一八八五)を公表した。そこで彼は、ナロードニキが農村共同体の衰退と、ロシア資本主義がプロレタリア階級とブルジョワ階級を生みだしている事実を認めない点を批判した。彼は革命を二段階に分け、第一段階ではプロレタリア階級とブルジョワ階級とがツァーリの専制政治体制を打倒してブルジョワ革命を実現し、第二段階ではプロレタリア階級がブルジョワ階級を打倒して社会主義革命を実現すると主張した。

第12章　合理化と官僚制の問題

1　合理化の問題

†合理化と資本主義

ルカーチの物象化論には合理化の問題が含まれていたが、この合理化の問題を近代ヨーロッパの運命として徹底的に解明しようとしたのは、ヴェーバー（Max Weber, 1864-1920）であった。

ヴェーバーの問題意識は「近代ヨーロッパの文化世界において、普遍的な意義と妥当性をもつ発展方向をとったと思われる文化諸現象が現れたが、それらが西洋という地盤において、しかもその地盤においてのみ出現したのは、どのような諸事情の連鎖によるか」ということにある。「合理的で実験的な自然科学、合理的な組織的法学など、普遍的な妥当性が西洋に生まれてきたのはなぜか」とヴェーバーは問うのである。「われわれの現代の生活上最も運命的な重みをもつ力である資本主義」も、近代西洋に登場した。「営利欲」とか「利益追求」とかいうものは、近代西洋の資本主義の本質とは関係がない。それらと結びつく資本主義は、人類の歴史とともに古いのであるが、それとは異なった資本主義が、近代西洋に生まれてきた。この資本主義は無限の「営利欲」に対して、むしろこの非合理的な欲望を合理的に抑制し規制する。そして営利を追求するさいにも、その営利活動は精密な資本計算に基づいてなされる。この資本主義はまた、自由に雇用契約を結ぶことのできる労働を合理的に組織化し、合理的な経営形態を生みだしてきた。

ヴェーバー

こうして近代西洋において、「自由な労働の合理的組織をもつ市民的な経営資本主義」が成立した。この資本主義を制約する条件として、技術的諸要因の計測可能性がある。これはまた西洋の科学、とくに数学的・実験的に精密で合理的な基礎づけをもつ自然科学に基づくものであった。もう一つの制約条件として、法律と行政が合理的に組織化され運営されることがあげられる。整備された法律や規則に従って司法や行政が活動する限り、資本主義的経営はその活動や決定をあらかじめ計測することができる。この計測なしには、資本計算に基づく合理的な資本主義的経営は不可能なのである。

近代西洋の各文化領域に現れた合理性は、「実質的合理性」(「価値合理性」)と対比される「形式合理性」であるといえる。「実質的合理性」は、実質的な特定の価値に対してだけ成り立つ合理性であり、たとえば禁欲は、信仰という価値にとっては合理的であるが、快楽主義という価値からみれば非合理的であることになる。それに対し「形式合理性」は、実質的価値にかかわりなく、計算のようにすべてに妥当する形式的な合理性である。

†生活態度の合理化

この近代西洋の合理主義の特質を認識し、その成立を解明することが、ヴェーバーの課題であった。彼はそれについて『宗教社会学論集』(*Gesammelte Aufsätze zur Religionssoziologie*, 1920–21)のなかで、次のように述べている。

「そうした解明の試みはすべて、経済のもつ根底的な意義に応じて、なによりもまず経済的諸条件を考慮に入れなければならない。しかし、さらにまたそれと逆の因果連関も無視されてはならない。というのは、合理的技術や合理的法の場合と同様に、経済的合理主義の成立は、一定の実践的・合理的な生活態度をとりうる能力および性向にも依存しているからである。これが精神的な障害物によって妨害されれば、経済的に合理的な生活態度の発達も困難な内的抵抗にぶつかることとなった。この生活態度を構成する諸要素のうち最も重要なものは、過去においてはいつでも呪術的・宗教的な諸力とそれへの信仰に根ざした倫理的義務観念とであった」。経済、科学技術、法や行政の合理化の根底には、生活態度の合理化があり、それは宗教に根ざした倫理を中核にしているというのである。

†資本主義の精神

ヴェーバーの有名な論文「プロテスタンティズムの倫理と資本主義の〈精神〉」(*Die protestantische Ethik und der 《Geist》 des Kapitalismus*, 1904)は、近代西洋の資本主義の発展の推進力となった「資本主義の精神」と、その形成の決定的な一要因となった「プロテスタンティズムの倫理」との内面的連関を解明したものである。この場合「資本主義の精神」は、単なる「営利欲」や「利益追求」とは関係ないことは、前にみたとおりである。それは「エートス」であり、「倫理的態度」である。

ヴェーバーはフランクリン（Benjamin Franklin, 1706-90）の道徳訓を引用しているが、そこに示されているのは、信用される正直な人という理想であり、とくに「自分の資本を増加させることを自己目的と考えることが各人の義務であるという思想」にほかならない。このような「資本主義の精神」は、どのようにして生まれてきたのであろうか。

†職業観念の解明

ヴェーバーは、カルヴィニズムをはじめとするプロテスタンティズム諸派の倫理に特有の職業観念に注目する。第2章でみたように、ルターは「信仰義認論」から出発し「万人司祭主義」の立場に立って、世俗的な職業を神の召命（Beruf）と考える「職業召命観」を示した。各人の生活上の地位から生じる世俗内的義務の遂行こそ、神から与えられた使命であると説かれたのである。しかしルターの場合、各人の具体的な職業は神の摂理によって与えられたものであるから、「各人はひとたび神より与えられた職業と身分のうちに原則としてとどまるべきであり、各人の地上における努力はこの与えられた生活上の地位の枠を越えてはならない」と説かれ、与えられた環境に無条件に順応することが要求された。したがって伝来の経済的行為を守る「伝統主義」に近くなって、経済における合理的な生活態度の発展を妨げるようになった。

それに対し、カルヴィニズムの場合、「二重預定説」が説かれるから、人びとは自分が選ばれた神の民であること、つまり「救いの確かさ」を確証したいと願い、「神の栄光」を増すための奉仕、職業労働に精励することになった。そしてこの職業召命観が世俗内禁欲と結びついたとき、日常の生活態度を徹底的に合理化し組織化していく人びとを生みだしたのである。そこでは「正直な労働から得られた利得は神の賜物」とされ、生産の拡大のために投資される。その限りで、利潤の追求は神の意志に沿うものと考えられた。

しかし、勤労と節約の結果、富裕になるにつれて貪欲が頭をもたげてくる。職業倫理は、「神の栄光」を増すためという宗教的意味を稀薄にし、できるだけ多くの貨幣を獲得するために、経営を合理化するという倫理へと変化する。このように宗教的核心を失った市民的な職業のエートスこそ、「資本主義の精神」にほかならないのである。

†合理化された世界

「資本主義の精神」のおもな担い手になったのは中産的生産者層であり、彼らは産業革命を推進し、資本主義的経済組織を拡大していった。そして資本主義が自立的な社会機構として確立されたとき、それを内面から支える「精神」をもはや必要とせず、経済そのものの圧力によって、資本主義に適合的な行動様式を、外から人びとに強制するようになる。ヴェーバーは次のように述べている。

「ピューリタンは職業人であろうと**欲した**が、われわれは職業人**たらざるをえない**。というのは、禁欲は僧房から世俗の職業生活のただなかに移され、世俗内的道徳を支配しはじめるとともに、今度は、機械的生産の技術的・経済的条件に縛りつけられている近代的経済組織の、あの強力な世界秩序をつくりあげるのに力を添えることになったからだ。そしてこの世界秩序はいまや圧倒的な力をもって、現在その歯車装置のなかへ入り込んでくるすべての人びと——直接に経済的営利にたずさわる人びとだけでなく——の生活を規定しており、将来もおそらく、その化石化した燃料の最後の一片が燃えつきるまで、それを規定するであろう」。

こうして、ピューリタンの世俗内禁欲は、世俗の生活を合理的に改造し、世俗の内部で成果をあげようとし、そのために世俗の生活の外枠は歴史上その比をみないほど強力になり、ついには逃れえない力を人間の上に揮うことになった。運命は不幸にもこの外枠を鋼鉄のように堅い外枠にしてしまったのである。今日では禁欲の精神はこの外枠から抜けだしてしまっている。勝利をとげた資本主義は、機械の基礎の上に立ってからは、もはやその精神的支柱を必要としなくなっている。「職業義務」の思想は、かつての宗教的信仰の「亡霊」として残存しているにすぎない。

このように説くヴェーバーは、鋼鉄のように堅い外枠と化した資本主義の合理化、専門化、機械化、組織化の過程をみすえながら、「将来この外枠のなかに住む者はだれであるのか」と問う。新しい預言者の出現か、かつての思想や理想の力強い復活か、それとも機械的化石化か、それはまだだれにもわからないと結論を留保しながらも、ヴェーバーは、この文化発展の最後の人びとは、「精神のない専門人、心情のない享楽人」であろうと、鋭く指摘するのである。

2 官僚制の問題

†支配の「正当性」

ヴェーバーが近代資本主義社会の直面しているもう一つの重大な問題と考えたのは、官僚制である。彼は将来の社会主義も、この問題を抱えざるをえないと考えている。ヴェーバーによれば、官僚制的支配は「合法的支配」の純粋型（典型）である。彼がとくに注目する社会関係は支配関係である。支配において重要なのは、支配者の命令を服従者が正しいものと信じて自発的に服従するさいの信念がどういうものか、つまり支配者の命令が正当なものと認められる根拠がどのようなものか、ということだと考える。そしてこの支配の「正当性」の原理を、ヴェーバーは『経済と社会』（*Wirtschaft und Gesellschaft*）のなかの「支配の社会学」において三つに区分する。「伝統的支配」と「カリスマ的支配」と「合法的支配」がそれである。

「伝統的支配」とは、その正当性が古くから伝えられてきた秩序や権威に基づくような支配である。これは家族、家父長制、あるいは「封建制」とふつう呼ばれているような集団に多くみられる。カリスマとはもともと「神の賜物」を意味する。したがって「カリスマ的支配」とは、支配者の超自然的・非日常的な力が服従者を心服させ尊敬させるような支配で、英雄や預言者などが、そのような権威をもつと考えられている。「合法的支配」は、その正当性が成文化され法規化された秩序や命令権の合法性への信念に基づく支配であり、「合理的支配」ともいわれる。この「合法的支配」の最も純粋なかたちが「官僚制的支配」である。

†近代的官僚制

「官僚制支配」には、「家産制的官僚制」と「近代的官僚制」とがある。前者は古代エジプトや中国や絶対王政などにみられる官僚制であり、奴隷のように人格的に不自由な官吏によって行政が行われた。それに対し「近代的官僚制」では、人格的に自由な人間が試験に合格することによって官吏に任ぜられ、その官吏は、階層的に秩序づけられた勤務規制に従って権限を行使し公務を実行する。これは形式的に最も合理的に組織された行政形態であり、「的確、迅速、明確、文書への精通、持続性、慎重、統一性、厳格な服従、摩擦の除去、物的・人的な費用の節約」という点で、他のすべての行政形態より優れている。

前にみたように、資本主義的経営は、その活動や決定をあらかじめ計測し計算できるような行政を必要としている。「近代的官僚制」は、まさにこの必要に対応している。

「決定の計算可能性、したがって資本主義に対する適合性は、官僚制が〈非人格化〉されればされるほど、すなわち、官僚制が愛や憎しみなどのあらゆる純人間的な、一般に非合理的で計算不可能な感情を公務の遂行から排除することに完全に成功すればするほど、それだけ十分に実現される。近代文化は、同情とか、好意とか、寵愛とか、感謝の念とかに動かされる古い型の支配者の代わりに、情動にとらわれない、したがって厳格に〈職業的〉な専門家を、その外的装置の維持のために必要とするのである」。

人間的感情を失った専門家、機構の歯車となった専門家が登場する。

この「近代的官僚制」にみられる形式合理的組織は、国家行政にとどまらず、近代社会の企業経営においても、大学運営や軍隊組織、労働組合や政党組織などにも現れる。近代社会の諸組織・諸団体は官僚制的合理化を避けることができないのである。

†生きた機械としての官僚制

官僚制的組織は、たしかに仕事の能率や正確さなどの点で優れているが、それが整備され拡大されるとともに、型にはまった画一的処理、形式主義、事大主義、専門に閉じこもった視野縮小などの弊害をもたらす。こうして官僚制的組織は「生きた機械」となり、人間が組織に隷従することになるのである。ヴェーバーは次のように述べている。

「その生きた機械は、死んだ機械と共同して、将来のあの隷従の殻をつくりつつある。純技術的に優れた、つまり合理的な官僚行政と官吏による配慮が、われわれの要件の指導方法を決定すべき究極の価値、唯一の価値となるとき、われわれ人間がいつかは……ずるずると引きずり込まれてしまう隷従の殻をつくりつつある」。ヴェーバーにとって、近代社会の全般的な合理化の進行を押しとどめることができないのと同様に、官僚制化の進展もまた避けることができないのである。ではわれわれはこの事態にどのように対応すべきなのか。ヴェーバーは述べる。

「とどまるところを知らない官僚制化の進行というこの根本的事実に直面して、われわれが将来の政治組織形態一般について論ずるとすると、問題は次のものよりほかにありえない。第一に、この圧倒的な官僚制化の傾向に直面して、なおなんらかの意味で〈個人主義的〉な活動の自由を——残されているほんのわずかなものでもよい――救い出すことは、そもそもいかにしたら可能であるのか」。

†時代の宿命の克服

ヴェーバーは、合理化と官僚制化の進展しつつある現実の事態から目をそむけ、いたずらに理想を求めることを拒否する。この事態を時代の運命として受け取りつつも、みずからの責任をあえて引き受ける自由を確保しようとするのである。

「今日、究極の、そして最も崇高な諸価値は、すべて公共の舞台から引き退き、あるいは神秘的生活の隠れた世界のなかに、あるいは諸個人の直接の交わりにおける人間愛のなかに、その姿を没し去っている。これはわれわれの時代、合理化および主知化、とりわけ呪術からの世界の解放を特徴とする時代の宿命である」。

このようにヴェーバーは、『職業としての学問』(*Wissenschaft als Beruf*, 1919)のなかで語り、この時代の宿命に人間らしく耐えるように訴える。いたずらに新しい預言者や救世主を待ち望むことなく、「自分の仕事に就き、そして〈日々の要求〉に――人間的にも職業的にも――従おう」と呼びかけるのである。現実のただなかで誠実に生きつつ、自分の行為についてみずから責任を引き受ける自由をもつこと、これがヴェーバー自身が身をもって示した生き方だったのである。

第13章　大衆社会の様相

1　機能的合理性――マンハイム

†産業的大衆社会の病状

ハンガリーのブダペストに生まれたマンハイム（Karl Mannheim, 1893-1947）は、ヴェーバーやマルクス主義の研究を通じて、知識社会学――知識を社会的に規定・拘束されているものとして、社会との相互連関のなかで研究する社会学――の構築をめざすようになった。彼は一九二二年にドイツのハイデルベルク大学の私講師になったが、当時のドイツはワイマール共和制をとっていた。やがてナチスが台頭し、一九三三年にマンハイムはナチス政権によって追放され、イギリスに亡命した。

『変革期における人間と社会』（*Mensch und Gesellschaft im Zeitalter des Umbaus*, 1935〈増補英語版〉1940）は、このワイマール・ドイツでの体験から出発する。ワイマール共和制における自由主義的民主主義機構は、なぜ破綻して、ファシズム（ナチス）という全体主義が勝利を収めたのか。それは現代の社会構造が変化して大衆社会と化し、そこから深刻

マンハイム

な諸問題が提起されているのに、ワイマール共和制の自由主義的民主主義は、その諸問題を解決する能力をもたなかったからにほかならない。このように考えるマンハイムは、この急激な構造変化に直面している現代社会を「産業的大衆社会」（industrial mass society）と名づけ、その病状を明らかにしようとする。

マンハイムによれば、二〇世紀の社会は、産業社会としては科学技術を基礎にして徹底的に合理化されてきたが、その合理性は「機能的合理性」（一連の行動が与えられた目標を効率よく達成することができるよう機能に即して組織化されるときに示される合理性）であって、特定の実質的価値の実現をめざす「実質的合理性」ではない。現代社

会は、大規模な産業社会として、あらゆる本能的衝動を抑圧することによって人間の社会的行動を最高度に予測できるようなものにしているが、他面では大衆社会として、無定形な人間集団に特有なあらゆる種類の非合理性と激情的衝動の巨大な塊なのである。この機能的合理性と実質的非合理との共存から現代社会の構造的危機が生まれる。産業社会として精密に組織化された現代社会の機構は、精密につくられているだけに、大衆社会の生む盲目的な非合理的衝動の小さな暴発によっても、たちまち全面的な混乱と破壊に陥らざるをえないのである。

†「社会的不均衡」と機能的合理化

このような現代社会の変質の原因はどこにあるのであろうか。マンハイムによれば、それは「人間的諸能力の均衡を失った発展」に求められる。すなわち、その第一は、技術的・自然科学的知識が道徳的な力や社会的洞察力よりもはるかに発展してしまっているという「人間的諸能力における一般的不均衡」であり、第二は、これらの諸能力が各社会集団・階層に均等に配分されていないという「社会的不均衡」である。

産業社会における大衆は、機能的に組織化された機構や組織のなかに一片の歯車として組み込まれるから、状況全体の相互連関を洞察する力を失い、自分の行動の究極目的や全体のなかの役割を知ることができなくなる。

「機能的合理化は、まさにその性質上、必ずや平均的個人から思考し洞察し責任を負う作用を奪い、これらの能力を、合理化過程を指揮する少数の個人にゆずりわたす」。

「統制を行うエリート集団は、以前には広範な諸集団にもわかりやすい一般的な生活観念に基づいてその決定を下したのであるが、合理化の過程が進むにつれて……限られた範囲内で高度に訓練された特殊専門家の意義がますます重大になってくる。こうして、**社会的な見識**と決定を下す能力とは、まったく実際的な理由から、限られた少数の政治家、高級官僚、経済的指導者、行政技術者に、いよいよ集中されるようになる」。

このような知識の独占化と並んで、行政的活動も官僚に集中され、軍事的権力手段も集中される。したがって、マンハイムによれば、産業社会の進展とともに、かつては政治的発言権をもたなかった大衆が政治に積極的に参与するようになる「社会の基本的民主化」の傾向が現れると同時に、むしろそれに逆行するようなエリートと大衆との分裂が出現するのである。そしてエリートと大衆とのあいだの距離が大きくなるとともに、大衆には「指導者待望」が生まれる。平均的な普通人は、ますます他人に指導されることに慣れるようになり、しだいに自分独自の見解を捨てて他人が考えてくれるものを受けいれるようになる。したがって、社会生活の合理化された機構が瓦解するとき、個人は自分の見識によってそれを修復することができず、自分の無力を痛感して恐るべき絶望的な不安状態に陥るのである。彼らにとって、自分たちの生きている社会体制のなかに作用している力——経済恐慌、インフレーションなど——の予知しがたいことが、拡大していく恐怖の源泉となっているのである。

†否定的民主化

マンハイムは、産業社会の合理化が進むとともに、大衆社会に非合理性や激情的衝動が現れるとしたが、この非合理的なものは必ずしもつねに有害であるわけではない、と注意している。

「それが、合理的に設定された目標を達成するための強力な動機としてはたらくとき、あるいは昇華されることによって文化的な価値を創造するとき、さらにまた純粋な生命力として、社会的生活秩序を無計画に破壊することなく生活の歓喜を高める場合、それは人間のもつ能力のなかで最も価値のあるものとなる」。

しかし大衆は、この非合理的な生命力をみずから調整することができない。大衆社会の独裁者は、変革期のために鎖を解かれた大衆的衝動を意識的に誘導して特定の目標のために組織化し、巧妙に調整する。こうして、産業社会がもたらした「基本的民主化」は、大衆社会のなかで、非合理的な民主主義と化し、敵に武器を提供する「否定的民主化」の過程と化するのである。

†自由のための計画

以上のように産業大衆社会の病状を解明したマンハイムは、「現在われわれは自由放任の社会から計画的社会への過渡期に生きている」とし、くりかえし問われていた「資本主義か社会主義か」という二者択一に代えて、「計画的社会における自由主義か独裁制における全体主義か」という二者択一を提出する。ファシズムやマルクス主義による全体主義的独裁制を排するマンハイムは、自由放任でも全体主義的統制でもない「第三の道」として「自由のための計画」を提唱する。

産業大衆社会の危機的事態を引き起こしたものは、自由放任のままに産業の合理化が進められ、文化の大衆化が進められてきたためにほかならない。産業大衆社会の全体主義化を防ぐためには、新たな社会計画が必要だと主張するのである。

「われわれの意見によれば、自由主義的大衆社会は、これ以上ひきつづき漂流するままにまかされるならば悲惨な事態になるというような発展地点に到達しているのである。われわれは、文化的領域においてすら、計画なしにはやっていけないであろう。……計画とは、恣意的な力によって社会全体を統治することを意味するものでもなければ、創造的活動に取って代わろうとする独裁的試みを意味するものでもない。計画なるものの意味は、社会の全機構およびその作用する仕方についての十分な知識に基づいて、社会秩序における非調整の根源を意識的に衡くことである。それは、単なる症状の治療ではなくて、十分に結果を自覚しつつ戦略要点を攻撃しようとするものである」。

この「自由のための計画」は、計画の枠内に自由と自己決定の余地をつくり保持することをめざすのであり、自由放任によって失われた自由を回復させるものなのである。遺書として残された『自由、権力、民主的計画』(*Freedom, Power and Democratic Planning*, 1950)によれば、「自由のための計画」の内容は次のようなものである。「民主的計画は、民主的統制に基づく自由のための計画である。それは特定の集団のためでなく、多数の人のためになされる計画である。それは〈豊かさのための計画〉、すなわち、完全雇用と資源の完全開発、特権よりも純粋な平等の基礎に基づいて報酬や地位の分化を認める計画、つまり絶対平等よりも社会正義のための計画、無階級社会をつくるための計画ではなくて貧富の大きな差をなくす計画、低準化しないで文化的水準を保つための計画、伝統において価値あるものを廃棄しないで進歩をはかる計画的なものへの転化、社会統制の手段を整合することによって大衆社会の危険を防止する計画、権力の集中と分散のあいだのバランスをとるための計画、パーソナリティの成長を鼓舞するために社会の漸進的な変形をはかる計画でなければならない。要するに計画化であって、画一化であってはならない」。

こうしてマンハイムの計画には、社会改造と人間変革という二つの側面が含まれるが、彼はとくに人間変革のための教育こそ社会計画の基礎をなすと説き、それに力を注いだのである。

2 権威主義的性格――フロム

†自由からの逃走

ドイツでナチスが政権を奪取し、全体主義と軍国主義が支配的となった背景には、下層中産階級の人たちの「権威主義的性格」、つまり自由から逃避しようとするメカニズムがあることを指摘したのは、フロム（Erich Fromm, 1900-80）である。彼はホルクハイマー（Max Horkheimer, 1895-1973）が所長をしているフランクフルトの「社会研究所」に所属し、アドルノ（Theodor W. Adorno, 1903-69）やマルクーゼ（Herbert Marcuse, 1898-1979）らとともに現代社会の総合的研究に取り組んだが、ヒトラーが政権をとるにいたったので、アメリカへと亡命した。

フロムは精神分析学を展開したフロイトの理論を受けつぎながら、その生物学志向を拒否し、社会学、社会心理学と結びつけて新フロイト主義の立場を示した。フロイトは社会をもっぱら人間の生物学的衝動を抑圧する（抑圧された衝動は昇華されて文化的活動に変化する）ものと考えたが、それに対して新フロイト主義は個人と社会との動的な相互関係を解明しようとし、人間の性格の個人差をつくる愛と憎しみ、権力に対する欲望と服従への憧れ、官能的な喜びの享楽とその恐怖といった衝動は、社会過程の産物であると主張する。そして社会は、ときに正気・愛などの観念に結晶する建設的欲求を生みだし、ときに憎悪と恐怖にいたる破壊的欲求を生みだすとされる。

このような立場からフロムは『自由からの逃走』（*Escape from Freedom*, 1941）のなかで、ヨーロッパの近代化と資本主義の展開が、人間を伝統的な束縛から解放し、自由で批判的な、責任をもつ自我を成長させたが、同時にまた個人を孤独な孤立したものとし、彼らに無意味と無力の感情を与えたことを明らかにする。個人に安定感を与えていた絆が断ち切られて個人が孤立化したとき、個人は無力感や不安に耐えきれず、自由を捨て、自由から逃避しようとする。

†権威主義的性格

この自由からの逃避のメカニズムは、個人が自分に欠けている力を獲得するために、個人的自我の独立を捨て、外にあるなにものかに自分を一体化することである。そこに「権威主義的性格」が生まれる。彼は権威をたたえ、それに服従しようとする。だが同時に、彼はみずから権威であることを願い、他人を服従させたいと願っている。彼は力のある人間や制度には服従し、無力な人間や制度に対しては、軽蔑し攻撃し支配し絶滅しようとする。そこにはマゾヒズムとサディズムが同居しているのである。

フロムは、一つの社会集団の大部分の成員が共通にもっている性格を「社会的性格」と呼び、それはその集団に共通の基本的経験と生活様式の結果、発達したものだと考える。そしてナチスの勝利の背景には、下層中産階級の「社会的性格」があることを指摘する。

「ナチスのイデオロギーは、小さな商店主、職人、ホワイトカラー勤労者などからなる下層中産階級によって、熱烈に歓迎された。この階級の古い世代の人びとは、より消極的な大衆的基盤であったが、彼らの息子や娘たちがより積極的な闘士であった。息子や娘たちにとっては、指導者に対する盲目的な服従と人種的政治的少数者に対する憎悪の精神、征服と支配への渇望、ドイツ民族と〈北欧人種〉の讃美というナチスのイデオロギーは、驚くべき感情的な魅力をもっていた。彼らを掌握しナチス運動の熱烈な信者や闘士としたのは、まさにこの魅力であった。ナチスのイデオロギーがなぜそのように下層中産階級に共感を呼びおこしたかという問題の答えは、下層中産階級の社会的性格のうちに求められねばならない。彼らの社会的性格は、労働者階級や上層中産階級や一九一四年の戦争以前の貴族の社会的性格とは著しく異なっていた。事実、下層中産階級にはその歴史を通じて特徴的ないくつかの特性があった。すなわち、強者への愛、弱者への嫌悪、小心、敵意、金についても感情についてもけちくさいこと、そして本質的には禁欲主義というようなことである」。

フロムは、さしあたりドイツの下層中産階級を対象としているが、先進資本主義諸国においても「権威主義的人格」が多く現れ、ファシズムが登場する可能性があることを警告しているのである。

3　社会的性格——リースマン

アメリカの社会科学者リースマン（David Riesman, 1909-2002）は、フロムの影響を受けながら、『孤独な群衆』（*The Lonely Crowd*, 1950）のなかで、「社会的性格」とその歴史的変化を解明しようとする。リースマンによると、「社会的性格」は、ある社会がうまく機能するようにその社会の成員を適応させ同調させる仕方である。彼は西欧社会での人口動態に着目して、第一次産業部門が基調となっており人口増加がまだ停滞している第一段階、第二次産業部門が基調となり人口が爆発的に増加する第二段階、第三次産業が基調となり死亡率が低下すると同時に出生率も低下する第三段階を区別し、この三つの段階の社会は、それぞれ異なった同調性を生み、異なった「社会的性格」を形成すると考える。第一段階の社会では、その典型的成員の「社会的性格」は「伝統に従う」ような同調性の様式であり、これをリースマンは「伝統志向」と名づける。第二段階の社会の典型的成員は、幼児期に内面化された「心理的ジャイロスコープ（羅針盤）」に基づいて行動するため、この同調性の様式は「内部志向」と名づけられる。第三段階の社会の典型的成員は、外部の他人たちの期待と好みに敏感であるような同調性の様式を示すから「他人志向」と名づけられる。

この「伝統志向型」「内部志向型」「他人志向型」という三つの同調性の様式は、現代社会では重層をなしつつ、さまざまの葛藤を引き起こしている。そして個人の選択を内面化された理念に基づいて個人の責任で行う「内部志向型」よりも、心にレーダーが設置されているように同時代人である他人たちからの信号を敏感にとらえて行動する「他人志向型」の方が多くなってきているとリースマンは指摘するのである。

リースマンは、「他人志向型」の人間よりも「内部志向型」の人間の方を高く評価しているわけではない。社会的諸条件の変化が新しい同調様式を生んでいると考えるのである。そして「他人志向型」の人間が「自律性」をもつべきだと説く。社会に対して抵抗なしに適応する「適応型」でも、また同調能力がない「アノミー型」でもなく、同調能力をもっているけれども、同調するかしないかについての選択の自由を確保していること、それが「自律性」なのである。

➜**フロイト**（Sigmund Freud, 1856–1939）
チェコスロバキアのユダヤ人の家に生まれ、四歳のときウィーンに移住した。ウィーン大学で医学を学び、ヒステリー現象などを研究した。催眠術に熟達するとともに、人間の意識に表れない心的過程があることに気づいた。

一九〇〇年『夢判断』を発表し、心的装置論、抑圧と抵抗などの防衛機制論、無意識論、性欲説などを主張した。彼によると、精神構造は自我、超自我、イド（エス）の三つを要因とする意識、前意識、無意識の三要素としてとらえられる。また究極的な欲動は生の本能（エロス）と破壊の本能（タナトス）に求められる。『トーテムとタブー』（一九一三）以降展開された社会哲学は、人間が社会諸制度を存続させるために近親相姦を抑制するなど抑圧を必要としたとし、文化は人間を抑圧するが、人間の性質には文化が抑制しえない残滓があることを指摘した。

第14章　管理社会の本質

1　大企業体制

†現代社会の変化

高度に発達した資本主義社会は、一九三〇年代以降、大きく変化してきた。それは工業社会から「脱工業社会」へ、あるいは「情報社会」への変化としてもとらえられるが、アメリカの経済学者ガルブレイス（John Kenneth Galbraith, 1908-2006）は、『新しい産業国家』（*The New Industrial State*, 1967）において、この変化を全面的な「管理社会化」としてとらえようとする。彼はまず、以下のような現代社会の変化を指摘している。

ガルブレイス

(1) ますます複雑化し高度化した技術が、財貨の生産に適用されるようになった。

(2) 法人企業があらゆる産業部門で活躍し、アメリカでは最大五〇〇の法人企業が毎日利用可能なすべての財貨とサービスの半分近くを生産するようになった。

(3) 法人企業において所有（株主）と経営が分離した。

(4) 政府と地方公共団体の提供するサービスが拡大し、アメリカでは全経済活動の五分の一ないし四分の一に達し、国防と宇宙開発に関連する公共活動がきわめて大きくなっている。

(5) 国家がケインズの理論を導入し、経済において財貨およびサービスの購入にあてられうる所得総額を調整し、生産されたすべてを購入するのに十分な購買力が存在するよう努めていること、同時に賃金の上昇と物価の上昇を阻止しようと努めている。

(6) 第二次世界大戦後の二〇年間は深刻な不況が生じなかった。

(7)　財貨の販売に関連する説得と勧奨の仕組みが一段と巨大な成長を示した。
(8)　労働組合の衰退が始まった。
(9)　高等教育機関への入学者数が非常に拡大した。

このような変化が相互に連関しており、その変化の複合体が「大企業体制」を生みだしていると、ガルブレイスはとらえる。

†大企業体制の特徴

複雑化し高度化した技術の利用のためには、科学的知識、その他の組織された知識を仕事に系統立てて適用しなければならず、したがって企業はこの高度な技術を活用するためには、巨大な資本を調達するとともに、技術的に高度な知識をもつ人びとを多数動員しなければならない。しかも、技術進歩に伴う次のような要請に企業は対応しなければならない。

(1)　理論的知識を応用する努力を始めてから新製品の開発、そして生産の開始にいたるまでに長期の時間を要すること。
(2)　生産を開始するために固定される資本が増大すること。
(3)　特定の作業を遂行するのに、時間と資金とが従来よりいっそう硬直的に固定されること。

(4) 専門化された人的資源が大量に必要なこと。

(5) 仕事が専門化されるとともに、多くの専門家の仕事を一つの目的達成のために集中させる組織が必要となり、組織についての専門家も必要となること。

(6) 時間と資本の額が巨大となり、しかも固定化され、また大規模な組織が必要となるとともに、市場で新製品が売れなければ大損害をこうむることになるから、「計画化」が必要となること。

悪い事態が生じた場合に適切に対処し、予想どおりの事態を実現することを保障する措置として「計画化」が不可欠となるのである。

このような要請に対応し、資本・労働力・原材料・技術・経営能力という生産資源を動員して、大規模な生産システムを運営できるのは、「成熟した法人企業」(mature corporation) だけである。この大規模な法人企業が、現代社会の経済の大きな部分を占めている。ガルブレイスはこの部分を「大企業体制」(industrial system) と呼んでいる。

2 計画化推進とテクノストラクチャー

†産業における計画化

大企業は計画化を推進しようとし、そのために自分が生産すると決定した製品が採算のとれる価格で消費者に欲せられ購買されるようにすること、自分の必要とする労働力・材料・設備が、自分の受け取るはずの製品価格と釣り合ったコストで入手できることをめざす。大企業は自分が販売するものに統制力を発揮するとともに、自分が供給されるものについても統制力を発揮しなければならないのである。

「計画化とは、事業会社の立場からみれば、生産を開始してから完了するまでのあいだに必要とされる諸措置を予見し、これらの措置を遂行するための準備を行うことであり、また生産の過程で生ずるかもしれない不測の好材料および悪材料を予見し、これに対処するための方策を準備しておくことである。他方、経済学者、政治学者ないし一般の学者の立場からすれば、計画化とは、なにが生産されるべきかを決定する機構として価格や市場に頼る代わりに、なにが、どのような価格で、生産され消費されるかを上から決めてかかるということである」。

この価格およびその価格で売買される量を、市場によってではなく、上から一方的に決定する方式としては、次の四つの方法がある。

第一に、垂直的統合によって市場を除去してしまう方式。たとえば石油化学工業会社、石油会社、原油会社というように、一つの計画単位が材料の供給源や製品の販売先を統合すると、市場を除去し、市場の不確実さを避けることができる。

第二に、市場を統制する方式。企業が大規模化し、その産業部門を少数の大企業が支配するとき、価格や販売量を統制することができる。

第三に、売買当事者間の契約によって一定期間または無期限に市場の機能を停止する方式。大企業のあいだで長期にわたる売買取引の価格と数量を定める契約を結ぶことによって、市場の不確実さを互いに除去し合うことができる。

第四に、国家の保障を求める方式。最新兵器の開発・供給、宇宙探検、航空機、高速地上輸送機関、核エネルギーの利用などについては、国家は適当な利潤を含めてコストを十分に補償できる価格を保障しているのであり、大企業体制の計画化は最も確実なものとなる。

このような計画化のためには、企業が大規模になればなるほど有利であることはいうまでもない。大企業はまた、マスメディアなどを通じて絶えず広告・宣伝活動を行い、消費者の欲望を誘導して、予定した需要をつくりだし、市場の不確実さを克服しようとするのである。

†テクノストラクチャー

現代の大企業においては、すべての重要な決定は、多くの人びとの専門化された科学的・技術的知識、コンピュータを駆使して専門家により集計され、分析され、解釈された情報に依存している。これは現代産業の技術的要請と企業行動の確実性を高める計画化の必要から生じてきた事態である。

「現代の企業組織、あるいはそのなかでも企業の指導や指揮に関係のある部分は、所与の時点で情報の取得・消化・交換・吟味にたずさわっている数多くの個人から成り立っている。情報の交換と吟味の大部分は、口頭で、つまり事務所のなか、食事のさい、あるいは電話による討議をとおして行われる。しかし最も典型的な手続きは、委員会の形式ないしは委員会の会合を通ずることである。事実、組織とは、多くの委員会の階層組織であると考えて大過ない」。

このようにして組織化された知性が、大企業の意思決定の主体なのである。ガルブレイスは、集団による意思決定に参与するすべての人びと、およびこの人びとが形成する組織を、「テクノストラクチャー」(technostructure)と呼び、それこそが現代の大企業の担い手であると説くのである。

テクノストラクチャーの行動のおもな誘因は、金銭的報酬ではない。彼らは大企業の実権をにぎる者として、組織の維持と安定的成長のために献身する。テクノストラクチャーの内側の中心に近づくにつれて、「共鳴」(identification)と「適合」(adaptation)の動機が強く働くようになる。「共鳴」とは、自分の目標と引換えに自発的に組織の目標を優れたものとして採用することで、組織目標と一体化することである。「適合」とは、自分の目標に組織の目標をいっそう近づけるようにしようとして組織に参加することで、組織内での権力欲を生みだす。このような動機に基づいて、テクノストラクチャーは、組織された知性を発揮して、大企業の発展のために貢献するのである。

†新しい産業国家

大企業体制は国家の諸活動と緊密な相互依存の関係にある。研究と技術開発に巨額の投資を必要とする分野では、政府の軍事支出に依存するところが大きい。軍事支出や公共支出が長期にわたって巨大な額で維持されることは、大企業にとっては価格変動の影響を受けない長期的な安定した市場が確保できることになる。

また国家は、大企業体制が自分自身では果たしえない貯蓄とその使用とのバランスの維持をはかるために、課税権や支出権を行使することによって総需要を統御し、大企業体制が有効な計画化を推進することを可能にする。

賃金・物価の安定政策も、間接的には計画化に役立つのである。さらに国家の教育政策も、有能な人材を大企業に供給するために役立っているのである。

こうしてガルブレイスは、新しい産業国家において、莫大な知識・情報を統括し、人びとの生活のあらゆる局面を制御し管理しているのは、国家と法人大企業との複合機構――産業国家――であることを指摘するのである。

3 組織化された資本主義――三つのシステム

†後期資本主義のモデル

ドイツの社会哲学者ハーバーマス（Jürgen Habermas, 1929–　）は、現代の先進資本主義社会では、もはや自由主義的資本主義は存在せず、「組織された資本主義」ないし「国家的に規制されている資本主義」に変質しているとし、その著書『後期資本主義における正統化の諸問題』(*Legitimationsprobleme im Spätkapitalismus*, 1973) において、その資本主義から生まれてくる危機の傾向を解明しようとする。

先進資本主義国では、諸企業の集中統合の過程(法人大企業・多国籍企業の成立)が現れ、財貨、資本、労働の市場がそれぞれ組織化されている。他方では、市場機能の欠陥が増大するにつれて、調整政策を採る国家が市場メカニズムを補完したり、部分的に代行したりするようになった。こうした先進資本主義社会の経済システム、行政システム、正統化のシステムを、ハーバーマスは以下のように概括する。

†経済システム

競争的民間セクター、独占的民間セクター、公共セクターという三セクター・モデルに従うと、民間経済の生産は市場志向型であるが、競争的セクターが相変わらず競争のルールに従っているのに対し、独占的セクターは一定の周辺的競争の余地を残した寡占体の市場戦略によって制御されている。

公共セクターのなかで、とくに軍備生産と宇宙飛行体生産については、大企業がその投資決定において市場から大幅に自由に行動している。独占部門と公共部門では資本集約型の産業が、競争部門では労働集約型の産業が優勢である。独占セクターと公共セクターにおいては、強力な組合が企業に対立しているが、競争的セクターにおいて、労働者の組織率が低い。これに応じて賃金水準も異なっている。

†行政システム

国家は、経済システムからの要請に応じ、包括的計画のもとに総経済循環を調整しようとし、また余分に蓄積された資金を活用する条件をつくりだそうとする。国家は、循環を調節する財政通貨政策を実施し、また投資や総需要を調節するための個別措置（信用供与、価格保障、補助金、公債、二次的所得配分、景気政策として操作される国家支出など）を行うが、連続的成長、通貨価値の安定、完全雇用、均衡ある貿易収支という競合する諸要請を調整することは困難である。

余分に蓄積された資本のための活用条件を国家が創出し改善する場合は、それはつねに市場メカニズムの代役を務めることになる。たとえば、国家は経済ブロックの組織化によって企業の競争力を強化したり、非生産的な国家消費（軍備と宇宙飛行）を行ったり、市民生活の物質的基盤を改善したり、科学技術振興のために投資したり、教育を整備して人間労働の生産性を向上させたり、民間生産に伴う社会的・物的費用の補償（失業者援護、福祉、環境破壊対策など）を行ったりするのである。

†正統化のシステム

自由主義的資本主義の場合は、市場で公正な交換が行われているということが、国家の正統性を国民が承認する根拠となっていた。それに対し後期資本主義では、市場機能がうまく働かなくなり、国家が市場に介入するので、国家は国民から改めて正統化（忠誠心）を調達しなければならなくなる。しかも国民は政治的選挙への参加権を持っている。

それゆえ国家は、形式民主主義の制度をとり、国民が実質的に政治に参加することを回避しながら、漠然とした大衆的忠誠心を調達しようとする。国民は私生活志向を強くもっているので、それに対応する福祉国家的政策を採ることによって、国家への国民の忠誠心を調達しなければならないのである。

†後期資本主義の危機傾向

後期資本主義においては、国家が経済の領域に介入し、総経済循環の調整や資本の活用条件の創出などを行い、経済恐慌を回避しようとするが、その結果、国家財政の危機、インフレーション、スタグフレーションなどが生まれてくる。しかも政治システムのなかでも、互いに矛盾する資本主義的個別利害を計画的に調整することが困難であるから、公的管理の合理性が失われ、行政が経済システムのために積極的な制御機能を発揮できないという危機傾向が現れる。

そして国民の忠誠心を十分に調達できないという正統化の危機傾向も現れる。この正統化の危機は、社会文化的システムのなかで国民の行動を動機づける文化的伝統が風化してきたという動機づけの危機と結びついている。

このようにハーバーマスは、後期資本主義社会の危機傾向が、複雑に絡み合ったかたちで現れていることを指摘し、理性的な討議の場を形成して、失われている公共性を市民の積極的参加によって回復することを説くのである。

†コミュニケーション的合理性

そしてハーバーマスは『コミュニケーション的行為の理論』（*Theorie des kommunikativen Handelns,* 1981）のなかで、成果志向的行為と了解志向的行為とを区別するとともに、前者において示される認知的・道具的・技術的合理性と区別される「コミュニケーション的合理性」の問題を提起している。

現代社会においては、巨大な力をもつ経済システム、政治システムが社会的諸活動を支配するようになっている。にもかかわらず、家庭、学校、地域社会などの社会諸関係のなかには、相互の理解・了解・合意形成を目的とするコミュニケーション的相互作用によって成り立っている「生活世界」が存続している。この「生活世界」も、生産・政治関係の戦略的行為（自分の目的を実現するために他人に影響力を行使する行為）によって影響され侵食され植民地化されつつあるが、それに対抗して「コミュニケーション的合理性」を実現する基盤となる。

この「コミュニケーション的合理性」は、責任能力のある対話者が、お互いに論拠を提示しながら主張し合い、そして反論をむしろ期待しながら討論して合意を形成していくところに表れる「合理性」であり、認知的・道具的・技術的合理性とは異質のものである。ハーバーマスは、「生活世界」における「コミュニケーション的合理性」の発展を通じて、技術合理的に編成されている経済システム、政治システムを組織し直し、制御することをめざすのである。

◆ケインズ（John Maynard Keynes, 1883-1946）

イギリスのケンブリッジに生まれ、一九〇五年ケンブリッジ大学のキングズ・カレッジを卒業した。一九〇九年からケンブリッジ大学で金融論を担当、同時に大蔵省などに勤務した。

一九三六年に主著『雇用・利子および貨幣の一般理論』を公表し、大きな反響を引き起こした。そのなかで彼は、たとえ失業者が存在しても、有効需要が不足している状態のもとでは均衡が存在することを論証して、失業と不況の原因を明らかにした。また産出量の大きさは、投資と消費からなる有効需要の大きさによって決まるという有効需要論を展開し、利子率引下げ政策によっても民間投資が増加しないときは、国家が直接投資を推進する必要があると説いた。

第15章　日本の近代化と社会思想

1　啓蒙思想と自由民権運動の開花

†文明開化と明六社

維新の変革を経て明治元（一八六八）年に成立した明治新政府は、国内的には天皇を中心とする国民国家的統一をめざし、対外的には欧米列強による侵略の危険を排しながら、先進諸国の社会的・文化的水準にまで日本を高めることを課題とした。

そのために、政府の強力な奨励指導による上からの近代化が目標とされ、「殖産興業」「富国強兵」「文明開化」政策が明治五（一八七二）年には具体的に推進されはじめた。その翌年には、アメリカ帰りの森有礼（一八四七〜八九）の提唱によって啓蒙的な学術結社「明六社」が結成され、機関紙『明六雑誌』を中心として、啓蒙的な活動を活発に行った。彼らは卑近な迷信の打破をはじめとして、社会的「因襲」ときびしく対決し、人間関係や社会生活についての考え方を根本的に変えようとした。

†天賦人権論と実学

因襲的な考え方が、もっぱら観念的な規範の世界をめざし、現実から遊離した机上の空論をもてあそんでいたのに対し、啓蒙的な考え方は、現実の社会的実践の世界に有用な知識を追求した。福沢諭吉（一八三四〜一九〇一）は、『学問のすゝめ』（一八七四）のなかで、「天は人の上に人を造らず、人の下に人を造らずと云へり」と書き、封建的身分秩序に基づいて人間に生まれながらの差別を認めていた従来の考え方を否定して、いわば自然権に基づく人間の基本的権利の平等を主張した。すなわち、「他の妨(さまたげ)を為さずして達すべきの情を達するは即ち人の権利」であり、この権利は天賦のものであって万人に等しく与えられていると説いたのである。

また彼は、国民が学問をして自由独立になるとき、国家もまた独立を保持でき、国富を増すことができると説き、その「学問とは、唯むづかしき字を知り、解し難き古文を読み、和歌を楽しみ、詩を作るなど、世上の実のなき文学を云ふにあらず。……

今斯る実なき学問は先づ次にし、専ら勤むべきは人間普通日用に近き実学なり」と記すのである。「明六社」の啓蒙思想家たちは、西洋の自然科学の実証性・合理性を受けとめ、同時に現実の社会生活のなかで事物や知識の有用性を比較・検討していこうとしていたのである。

†**自由民権運動**

明治七（一八七四）年、板垣退助（一八三七～一九一九）、後藤象二郎（一八三八～九七）らの前参議ほか七名が連署した「民撰議院設立建白書」が提出されたが、「明六社」の啓蒙思想家たちは、まだ文明開花が進まず愚昧な民の多い日本では時期尚早であるとして消極的であった。彼らは政治について漸進的な立場をとったのである。

それに対し、国会開設を要求する各種の政治結社が全国各地に生まれ、明治一〇年、土佐の「立志社」では「国会開設の建白書」が書かれ、これは藩閥政府の圧政と失政をはげしく攻撃したものであった。政府は急進的な新聞・雑誌をしばしば発禁にし、論客を投獄するなど、民権派をきびしく取り締まったが、明治一三年には「国会期成同盟」が結成され、「自由党結成準備会」も開かれた。翌年には中江兆民（一八四七～一九〇一）らの『東洋自由新聞』も発刊された。

政府はこのような状勢をみて、国会開設がもはや時代の大勢であることを認めざるをえず、明治一四年には一〇年後の明治二三年に国会を開設するという「詔勅」を出した。板垣を総理とする「自由党」（明治一四）、大隈重信（一八三八〜一九二二）を総理とする「立憲改進党」（明治一五）が結成され、またそれに対抗して政府の御用政党「立憲帝政党」も結成された。最も急進的な「自由党」は、人民主権論の立場で「国約憲法」ないし「協約憲法」を主張したが、やがて上層幹部と下層大衆との分裂、右派と左派の分裂が生まれ、下部の革命的な自由党員が農民たちと結びつき、明治一五（一八八二）年の「福島事件」から一七年の「秩父騒動」にいたる一連の流血の大衆蜂起を引き起こした。

そのため「自由党」は明治一七年に解党を決議し、「改進党」も大隈総理の脱党によって事実上解党し、民権派は四分五裂の状態に陥った。そうしたなか、明治二二年二月一一日、「大日本帝国憲法」は欽定憲法として発布されたのである。

†東洋のルソー中江兆民

自由民権運動を支えた思想はさまざまであったが、大別して、ベンサム（Jeremy Bentham, 1748-1832）、ミル（John Stuart Mill, 1806-73）、スペンサー（Herbert Spencer,

1820–1903）らのイギリス系の自由主義的・改良主義的思想と、ルソーに代表されるフランス系の共和主義的・革命的民主主義論があった。中江兆民は、ルソーの『社会契約論』を訳し『民約訳解』（明治一五）として公刊して、「東洋のルソー」と呼ばれた。ルソー主義は、急進的な民権論者たち、とくに「自由党」左派の人たちに理論的支柱を与えるものであった。

中江兆民は、自由をリベルテ・モラル（心思の自由）とリベルテ・ポリチック（行為の自由）とに分け、心思の自由から行為の自由その他すべての自由が出てくると考える。心思の自由は、精神がほかから束縛されないこと、具体的には外部のすべての権力・権威から自由で、しかも自分の内部のいっさいの利欲・悪心から自由であることを意味する。そして、自分の自由権利が他者の自由権利と共存するために、「民約」が結ばれねばならない。「民約」とは人類普遍の共同意志に自分の意志（心思の自由）を一致させることなのである。

このような自由観に基づいて、兆民は主権在民を説き、それに基づく人民の抵抗権・革命権を提示したのである。この兆民の影響のもとで「自由党」左派の論客たちは、具体的に、学問・信仰の自由、集会・結社の自由、私事の自由、男女の平等、信書不可侵、居宅不可侵、未決囚の罪人視禁止、公判傍聴の許可、拷問禁止など、近代市民の自由・平等の要求を提出したのであった。

2　社会主義と超国家主義の発達

†社会主義思想の受容

日清戦争（明治二七〜二八）の勝利をきっかけとして、日本の資本主義は急速に発展し、それに伴って社会問題や労働問題が深刻となり、社会主義思想の研究やそれに基づく運動が盛んになった。明治三〇（一八九七）年には、「学理と実際とに拠り社会問題を研究する」ことを目的とした「社会問題研究会」が発足し、翌年には「社会主義の原理と之を日本に応用するの可否を考究」しようとする「社会主義研究会」が結成された。この「社会主義研究会」の主要メンバーは、かつて中江兆民門下の民権青年であった幸徳秋水（一八七一〜一九一一）のほかは、村井知至（一八六一〜一九四四）、片山潜（一八五九〜一九三三）、安部磯雄（一八六五〜一九四九）ら、ユニテリアン系のキリスト教徒であった。

明治三四年、日本最初の社会主義政党「社会民主党」が結成されたが、結成届提出と同時に禁止・解散を命ぜられた。安部磯雄の執筆した「社会民主党宣言」は、「理想」として、①人類同胞主義の拡張、②軍備全廃による平和実現、③階級制度の全廃、④土地・資本の公有、⑤交通機関の公有、⑥財富の分配の公平、⑦参政権の平等、⑧教育の機会均等と教育費の国庫負担、を掲げ、暴力革命を排し、普通平等選挙権の獲得をめざす合法的な議会主義の路線を示している。

†「平民社」と『平民新聞』

明治三六(一九〇三)年、幸徳秋水は堺利彦(一八七〇〜一九三三)とともに「平民社」を設立し、『平民新聞』を刊行しはじめた。その第一号に幸徳の執筆した「宣言」が掲載された。それは「自由、平等、博愛は人生世にある所以の三大要義なり」に始まり、その内容は「社会民主党宣言」を受けついだものであった。『平民新聞』は非戦論を展開したが、「平民社」に関係した人たちは、非戦論という点では一致しても、思想的立場にはかなりの相違があった。

「平民社」の活動が盛んになるにつれて、政府・警察による弾圧もはげしくなり、『平民新聞』の発売禁止や社会主義演説会の禁止・解散がしばしば行われ、明治三八年には『平民新聞』は廃刊となった。そして翌年には「平民社」も解散を余儀なくされた。明治三七年に『平民新聞』一周年記念号が刊行されたが、そこに幸徳秋水・堺利彦共訳の『共産党宣言』が掲載されたことが示すように、この時期に本格的にマルクス主義思想が紹介され研究されはじめたのである。

†「日本社会党」の結成と分裂

明治三九（一九〇六）年二月、「本党は国法の範囲内において社会主義を主張す」という党則を掲げる「日本社会党」が結成され、片山と堺はその評議員となった。日本ではじめて公然とした社会主義政党が出現したのである。翌年一月には日刊『平民新聞』が創刊された。

その紙上に、約半年のアメリカ滞在後帰国した幸徳秋水は「余が思想の変化」（二月五日）を発表し、議会主義・合法主義を捨てて「労働者の直接行動」の必要を力説した。これがきっかけとなって、「日本社会党」の内部に、議会主義か直接行動かという路線論争が起こり、社会主義運動は分裂し抗争を続けることになった。そして明治四一年六月には「赤旗事件」による弾圧、四三年には「大逆事件」による大規模な弾圧をこうむり、一切の社会主義運動は禁圧されることになったのである。

†大正デモクラシー

大正時代に入ると、軍備拡張による増税に反対する産業界の人びとは、野党と手を結んで、閥族打破・憲政擁護を唱えはじめ、新聞・雑誌もこれに和した。このため桂太郎内閣は退陣に追い込まれた。これが「大正政変」（大正二〈一九一三〉）である。この第一次護権運動に続いて、「普選実現」をめざす第二次護権運動が展開され、大正一四年には、「治安維持法」と抱き合わせではあったが、「普通選挙法」が制定され、選挙権は大幅に拡大されることになった。

このような民主化の潮流のなかで、吉野作造（一八七八～一九三三）は大正五（一九一六）年一月の『中央公論』に、「憲政の本義を説いてその有終の美を済すの途を論ず」を発表し、「民本主義」を説いた。「民本主義」はデモクラシーの訳語であるが、「国家の主権は法理上人民に在り」ということを主張するものではない。この意味でのデモクラシー、すなわち「民主主義」は、憲法上「主権在君」が明白な日本では通用しない。「民本主義」は、主権を運用するさいに「一般民衆の利益幸福ならびにその意向に重きを置く」べきことを主張するのである。この「一般民衆の利福」の実現の大きな妨げになっているのは、藩閥と財閥の専横である。「民本主義」はこれを排するため、政党政治の確立、普通選挙の実施、選挙道徳の向上を主張するのである。

†超国家主義の思想

第一次世界大戦後、デモクラシー運動が盛んになるとともに、社会主義運動も復活し、新たな展開を始めた。それに対抗して、「赤化」や「デモクラシー」に反対する国粋主義的な右翼団体も多数結成され、昭和の超国家主義を準備するようになった。

昭和の超国家主義運動の教祖ともいうべき北一輝（一八八三〜一九三七）は、後の「二・二六事件」の思想的支柱となった『日本改造法案大綱』（大正一二〈一九二三〉）を発表した。このなかで北は、天皇を「国民の総代表」とする独自の機構をもった社会主義国家に日本を改造し、さらに海外へ軍事的発展を行うべきことを主張した。彼は「国家ハ有機不可分ナル一大家族ナリ」という有機体論的な国家観を示し、社会契約論を排している。この『大綱』で注目されるのは、軍事革命路線を指示していることで、軍隊と在郷軍人の組織を利用して、天皇を奉じたクーデタを断行し、華族制度の廃止、普通選挙の実施、私有財産の制限、生産手段の国有化などの改造を行うとしている。また彼は、国際的無産者である日本は軍事力に訴えて国際的不正義をただすべきだと主張するのである。

↓森　有礼（一八四七～八九）

元治二（一八六五）年、薩摩藩の留学生としてイギリスに派遣された森は、西洋社会の現実をみて、研修目的である技術学の習得よりも、「国基学」である法学に強い関心をもった。またキリスト教の一宗派に接しアメリカに渡って共同生活を体験した。

慶応四（一八六八）年に帰国し、明治六（七三）年に「明六社」を結成した。そこには福沢諭吉、西周、加藤弘之、など当時の最高の知識人が結集した。明治一八年、森は伊藤博文内閣の文部大臣となり、国家中心の文教政策を実施したが、明六社時代の個人主義や自由主義を捨てることはなかった。ただ個人個人の自由で活発な行動の増大が、そのまま国家の文明化や富強をもたらすと考えていた啓蒙期と異なり、個人個人の多様で活発な行動を一定方向に組織しなければ、国家の富強を達成できないと考えるようになったのである。

↓板垣　退助（一八三七～一九一九）

土佐藩の倒幕派の中心人物として活躍し、明治新政府が樹立されると、高知藩大参事となり開明的な藩政改革を進めた。

明治六（一八七三）年、板垣は副島種臣、江藤新平らと愛国公党を組織し、翌年には天賦人権論に基づく「民撰議院設立建白書」を左院に提出した。明治一〇年代に自由民権、国会開設運動は本格的に展開しはじめ、各地に政治結社が生まれ、それらの横の連絡がとれるようになった。その中心になったのが立志社であり、立志社の指導者であった板垣は、全国の自由民権運動家の最高指導者として仰がれるようになった。

明治一四年、政府は明治二三年に国会開設を行うという詔勅を発して事態を収拾しようとした。その年板垣は「自由党」総理に就任したが、翌年刺客に襲われ負傷した。その際の「板垣死すとも自由は死せず」という言葉が有名である。

◆大隈　重信（一八三八～一九二二）
肥前藩の藩校弘道館に学んだが、革新と保守の対立に巻き込まれ放校処分になった。大隈はこれを機会に蘭学寮で蘭学の勉強を始め、さらに長崎で英学を学んだ。またオランダ憲法、新約聖書、アメリカの独立宣言などを読み、自由思想、立憲主義を身につけた。

大隈は慶応四（一八六八）年、徴士参与外国事務局判事として横浜に在勤し、ついで長崎に在勤した。そして明治初年には外国官副知事（外務次官）に抜擢され、翌年には会計官副知事兼任となり、さらに大蔵大輔となった。大隈は近代的金融制度を確立するため全国に一〇〇あまりの国立銀行を設立した。また海運では三菱の育成を行い、貿易政策を積極的に展開した。明治一四年、大隈は野に下り、「改進党」の総理となり政党政治家として活躍し、また早稲田大学の前身である「東京専門学校」を設立した。

◆安部　磯雄（一八六五～一九四九）
明治一二（一八七九）年から同志社の学生として新島襄のもとで学んだ。安部はキリスト教を身につけ、精神生活は宗教により、物質生活は経済学により指導されるべきだと考えるようになった。明治二六年にアメリカへ留学し、社会事業を熱心に研究するとともに、根本的には現在の経済組織を変革する必要があると考えるようになった。

帰国後明治三二年に社会主義協会に加入し、三四年片山潜、幸徳秋水らと「社会民主党」を結成した。安部の社会主義は実学的傾向が強く、明治三八年にキリスト教社会主義者が発刊した『新紀元』での安部の論文は「独占事業論」「東京市の下水経営」「東京市電市有論」など経済論文であった。その後安部は社会主義運動から離れ、早稲田大学の教員の仕事に専念した。

◆堺　利彦（一八七〇～一九三三）

堺は、豊前国豊津（現福岡県京都郡みやこ町）小笠原藩氏族の家に生まれ、明治一六年、文筆家を志望して大阪に出た。そして『大阪毎朝新聞』をはじめ数社の新聞社員生活を経て、明治三二年「万朝報」に入社した。そこで堺は幸徳秋水、河上清、内村鑑三らと交友し、明治三四年の社会民主党の結成に参加して社会主義者としての道を歩んだ。

明治三六年、日露非戦論をめぐって万朝報社長と対立し幸徳秋水とともに退社した堺は、幸徳とともに平民社を起こし週刊『平民新聞』を発刊する。そこで堺は漸進的改良主義に基づく社会の調和的発展を説いた。日露戦争後、堺は日本社会党を結成し、『社会主義研究』にマルクスとエンゲルスの『共産党宣言』の日本初の全訳を掲載するなど、社会主義思想の普及に力を注いだ。

◆吉野　作造（一八七八～一九三三）

明治一一（一八七八）年、中流の商家に生まれた吉野は、秀才として二高から三三年東京帝国大学法科に入学し、小野塚喜平次、一木喜徳郎に傾倒した。他方、本郷教会に入りキリスト教の信仰を深めた。

明治四一年にはヨーロッパに留学して、デモクラシーはキリスト教の理想の政治的表現であり、それは歴史を通じて必然的に現実化するという信念をもつようになった。大正五年一月の『中央公論』の巻頭論文で、近代立憲政治の基本精神はデモクラシーであると説き、明治憲法のもとでもこの精神を貫徹できるとして、「民本主義」を主張した。それは主権在民を意味する民主主義は君主国日本には適用できないとし、政治の目的は民衆の福利にあり、政策の決定は民衆の意向によるべきであるという主張であった。この吉野の「民本主義」の主張がきっかけとなり、大正デモクラシー運動が全面的に展開された。

◆北　一輝〈本名〉輝次郎、一八八三～一九三七)

佐渡の海産問屋に生まれた北は、明治三四年頃から『佐渡新聞』に寄稿しはじめ、三七年に上京した。独学で国家、国体、社会主義などについて思索を深め、明治三九年には『国体論及び純正社会主義』を自費出版した。理論的基礎を進化論に求め、人類は生存競争の単位を家族→部族→国家へと拡大し、その内部での公共心＝社会的団結の強化によって進化すると主張した。この著書は発売禁止処分になったが、やがて北は大陸浪人らと交流し、活動を始めた。

大正八年には『国家改造案原理大綱』(後に『日本改造法案大綱』)を執筆した。この『大綱』は、天皇を号令者とするクーデター、私有財産限度の設定、開戦の積極的権利という三つの柱に基づく国家改造を構想していた。北は右翼の大物、青年将校運動の黒幕とみられるようになり、二・二六事件が失敗すると、軍法会議にかけられ、翌年銃殺された。

第16章　現代日本社会の諸課題

1　克服できていない二〇世紀の課題

†民主主義の問題

第15章では、明治から大正にかけての日本の近代化と社会思想の展開の大略を振り返ってみた。昭和に入ってからは、社会思想といえば社会主義思想、マルクス主義思想と同じものと思われるようになり、その枠のなかでのさまざまな論争が展開されるようになった。

第二次世界大戦後に社会思想はより広い地平のなかに解放され、改めて民主主義の問題が取りあげられるようになった。「主権在民」「基本的人権の尊重」「戦争放棄」

という三つの柱をもつ「日本国憲法」(昭和二一)が制定され、民主主義が日本の政治制度、社会体制の基礎とされたのである。しかし、「主権在民」という民主主義のあり方についても、ロックやルソーが前提とし要請もしていた、主権に積極的に参加し政治をきびしく監視する「市民」というあり方は、いまだに多くの日本人が身につけていない。ハーバーマスが指摘していたように、多くの人びとは経済的利害にのみ関心を向け、私生活の豊かさをめざして、政治に無関心となり、議会制民主主義の形骸化がめだつようになっている。したがって、民主主義思想の成立と展開について改めて思索を深め、市・区・町・村という自分の直接的な生活の場における政治への積極的参加から始めて、「主権在民」のあるべき姿を追求することが、今日の焦眉の課題となっているといえよう。

†合理化と官僚制と人間疎外の問題

今日の日本では行政機構が巨大になったばかりではなく、企業や労働組合なども巨大な組織となり、官僚制をモデルとする組織化がいたるところに現れている。そこではヴェーバーの指摘した形式合理性が貫徹され、「精神のない専門人」が多数現れている。官僚制的組織という「生きた機械」のなかに組み込まれるとき、人びとは限られた権限と責任に目を奪われて、より広い視野で問題を認識し判断することができなくなってしまうのである。そこからまた自分で思考し判断して責任をとるという態度も失われてしまう。われわれは、ヴェーバーのいう「実質的合理性」(「価値合理性」)、マンハイムのいう「実質的合理性」のあり方について、さらに考えを進めると同時に、官僚制化のもたらす弊害を克服するためには、どのように組織を変革すべきかを考えねばならない。これもまた日本社会の焦眉の課題であるといえよう。

官僚制化の問題は、ルカーチが指摘していたように、合理化の問題を通して労働の場での人間の自己疎外、物象化の問題と結びついている。第二次世界大戦後の日本は経済の高度成長を達成し、多くの国民の生活は豊かになった。しかしそれとともに労働の場での合理化が進み、多くの労働者は能率本位の組織に組み込まれ、上司の命令のままに行動するだけであって、仕事をしている自分を自分自身と感じえなくなっている。したがって仕事に生きがいを感じえない人も多くなった。コンピュータやロボットが今後さらに導入され、職場の合理化が進むならば、この労働における人間の自己疎外の問題は、さらに深刻とならざるをえないであろう。

†大衆社会と管理社会の問題

マンハイム、フロム、リースマンらが指摘していた大衆社会状況も、現代日本の社会に現れている。とくにテレビをはじめとするマスメディアの普及は、人びとの生活を平準化し画一化しているし、群衆の非合理的な行動もめだつようになっている。また「自由からの逃走」と思われるような英雄(スター)待望や憧憬も現れている。

他方では、大企業の市場支配、大企業による消費者の欲望誘導も、大規模に現れている。ガルブレイスの「新しい産業国家」はアメリカを対象としたものであったが、日本もまた「新しい産業国家」の様相を呈しているのである。このような状況のなかで、われわれは、生産の場、消費の場、市民生活の場において、それぞれ、個人としての自立を確保しつつ、他人たちと連帯を築いていく努力を積み重ねていくことが、今後の課題となるであろう。

2 情報化・消費化社会の展望

†自立システムとしての消費社会

最後に、見田宗介の『現代社会の理論――情報化・消費化社会の現在と未来』(一九九六）を取りあげてみよう。見田によると、第二次世界大戦後、アメリカや日本など主要な資本主義諸国において、三〇年近くのあいだ、ほとんど持続的な経済の成長が現れた。一九七三年の「エネルギー危機」の後は、いくつかの相当に「危機的」な局面を含む構造的な不況や低迷を経験しているが、「古典的」な規模のパニックとしての恐慌には見舞われていない。このような資本主義の「転換」を可能にしたのは、戦争とは異なる仕方で、資本の成長にとって必要な需要をつくりだす方法を資本主義が獲得したからである。

この方法はまず直接的には、国家の市場への積極的な介入による「管理された資本主義」への移行として説明される。需要の創出を明確に政策の目標とする大規模な公共事業は、金利政策などによる投資需要の刺激とともに、その典型的なイメージとして知られている。しかし、アメリカにおいて一九五八年に実施された大規模な減税措置により、「豊かさを求めて小売店に殺到する」消費者たちの自由な欲望を通して、繁栄を保証する巨大な需要が調達されたことに注目しなければならない。この現象に現れているように、「消費社会化」ということが、周期的な恐慌に示される「資本主義の基本的な矛盾」を乗り越えていく力として、「管理化」という方向と機能的に等価なものとして、これと代替することもできるもう一つの形態として、姿をみせている。これは消費社会化が「管理された資本主義」化を継承したということではなく、「管理化」と「消費化」という方向が互換し、補完するものとして、現代の資本制システムの持続する「繁栄」を保証してきたのである。

このような現代資本主義の持続的な繁栄が、結果としてソヴィエト連邦の崩壊に示される社会主義体制の敗北、「冷戦構造」の終焉をもたらすことになった。情報化・消費化社会の特徴は、デザインと広告という、互いに他を前提し媒介し合う「情報化」の二つの要素が巨大な力を発揮することにある。フォードとゼネラル・モーターズ（GM）との自動車販売競争で、GMが勝利を収めたのは「デザインと広告のための年々のモデルチェンジ」という戦略のおかげであった。

このように、消費化社会においては、情報が新しい欲望を見いだし需要を創出するのであるが、この欲望が解き放たれる空間は、見田によると、自由な空虚な無限性の形式として「デカルト空間」と名づけられる。こうして欲望は、自然の必要から自由であるばかりではなく、文化からも自由であるとされる。しかし「欲望のデカルト空間」は、自由な形式にとどまり、消費化社会の抽象的な可能性の条件を示すにすぎない。新しい欲望を生みだす新しい商品は、消費者の大部分にとって魅力的であることが必要である。そこに消費化社会の固有の「楽しさ」「華やかさ」「魅力性」が生みだされる。

情報化・消費化社会は、こうして自立したシステムとして存立することになるが、このシステムは否応なしに「限界」にぶつからざるをえない。第一に自然との臨界面において、「環境」「公害」「資源」「エネルギー」問題が現れる。情報化・消費化社会のシステムが解き放つ欲望の無限空間と、その実在の前提である惑星と気圏の条件の有限性との、矛盾のさまざまな表れである。第二に、このシステムと外部社会との臨界面において、「南北」問題、「第三世界」問題が現れる。また「先進産業諸国」の域内に「内部化」されている貧困と解体も、「豊かな社会」のシステムの外部に現れ、「南北問題」と同型の構造をもっているのである。

†環境問題

アメリカではカーソン（Rachel Louise Carson, 1907-64）の『沈黙の春』(*Silent Spring*, 1962）が、一九五〇年代における農薬の大規模な環境破壊を告発したし、日本では水俣病事件のような大規模な汚染公害が現れた。さらに一九八〇年代には、フロンガスなどによるオゾン層の破壊が世界的な環境問題となっている。

ローマ・クラブの『成長の限界』（*The Limits to Growth*, 1972）によれば、一九七〇年当時の成長率がそのまま続けば、アルミニウムは三一年〜五五年、銅は二一年〜四八年、鉛は二一年〜六四年、水銀は一三年〜四一年、石油は二〇年〜五〇年のうちに枯渇するというのである。一九八〇年代にアメリカ大統領に提出された『西暦二〇〇〇年の地球』でも、石油は遅くとも二〇二〇年までには、世界の生産が需要を満たせなくなると予測され、フッ素、銀、亜鉛、水銀、硫黄、スズ、鉛などもこの二〇二〇年までに枯渇すると予測されている。このように資源・エネルギーの有限性が深刻な問題となっているのである。

ワールド・ウォッチ研究所の報告『地球白書』(*State of the World*) 一九九五/九六年版によれば世界人口の二〇%ほどの大量消費社会が、八〇%の鉄鋼、八六%のアルミニウム、八一%の紙、七六%の木材を消費している。この構造を支えているのは、植民地時代以来の政治的・法的・経済的な枠組みの残存、あるいは現代的な手法による再生産である。つまり、発展途上諸国から先進諸国が一次産品をさまざまなかたちで輸入しているのである。さらにまた、大量消費社会の高度化は二つのかたちで外部諸社会、諸地域への汚染の転移を深刻化した。第一に、生産と消費の大量化が海洋や大気中への廃棄物の濃度を危険な高さまで押し上げてしまうなど、汚染が大量消費社会の外部の諸地域までも巻き込んでしまうのである。第二に、大量消費社会の内部の環境・公害意識と運動の高まりと、これを背景とする規制の強化を逃れて、廃棄物の処理あるいは汚染を発生する工程や産業自体を、外部に移転するのである。

†南北問題

「南北問題」を格差という面からみると、北の「豊かな社会」の高度化し続ける消費水準は、南の大量な飢えを生みだしている。ランファル（S. Ramphal）の『地球エシックス』（*Our Country, The Planet*, 1992）によると「世界で十分に食料を手にすることができない人の数は、一九七〇年代には六億五〇〇〇万人から七億三〇〇〇万人に増加したと推定されていたが、八〇年代にはさらに増加したと思われる」。

このような南の大量の飢えを生みだしているのは、食料がただ不足しているためではない。食料が家畜の飼料や、嗜好品の素材へと使われ、基本食料の生産に当てられていた土地が輸出向けの作物のために大量に使用されるようになったためでもある。

「『豊かな社会』の高度化しつづける消費水準が、『世界の半分』の飢えをつくりだすメカニズムのうち最も直接で見えやすいものは、……必須食料品である穀物の、家畜飼料化、嗜好品の素材化と共に、基本食料の生産にあてられていた土地の収奪（輸出商品への作物転換）である」（九二頁）。

「南の貧困」の「原因」として語られるのは、しばしば「人口の過剰」ということである。しかし「発展途上国」のうち、一九九〇年頃に、出生数が人口補充水準を下回るにいたったのは、NIES（新興工業国・地域）と呼ばれる香港、シンガポール、韓国と、キューバ、モーリシャス、プエルトリコなどの数カ国である。このことが示しているように、「人口問題」は貧困の原因である以上に結果であることが示される。インドの貧しい農民や失業者、半失業者がたくさんの子どもをもとうとする最大の理由は、土地もなく財産もない彼らにとって、現実のなかで最良の――ほとんど唯一の――「社会保障」と「老齢年金」は、子どもをもつことしかないということである。

「北の貧困」についてみると、一九八八年のアメリカには約三一〇〇万人の人びとが貧困ライン以下の生活をしていたという。この「貧困ライン」とは、四人所帯で年収一万二〇〇〇ドル強に満たない生活である。

「現代の情報消費社会のシステムは、ますます高度の商品化された物資とサービスに依存することを、この社会の『正常な』成員の条件として強いることをとおして、原的な必要の幾重にも間接化された充足の様式の上に、『必要』の常に新しく更新されてゆく水準を設定してしまう。新しい、しかし同様に切実な貧困の形を生成する」（二一一頁）。

†情報化・消費化社会の核心

以上のように、見田は現代の情報化・消費化社会が、自立したシステムとして魅力的に存立するとともに、その「限界」にぶつかっていることを確認する。そのうえで見田は、情報について、消費についての根本的な考察を通して、現在あるような情報化・消費化社会のシステムとは原理的に異なる、情報・消費のシステムのまったく新しい形態を模索しようとする。バタイユ（Georges Bataille, 1897-1962）の『普遍経済論』三部作（呪われた部分〈消尽〉、エロティシズムの歴史、至高性）を考察することを通じて、見田はバタイユのいう「消費」（consumation）は「焼き尽くすこと。燃えつきること。激しい高揚」を指す言葉であり、ボードリヤール（Jean Baudrillard, 1929-2007）以降の消費社会論における「消費」（consommation）（商品の購買による消費を意味する）とは、はっきり区別されるべきだとする。このバタイユのいう「消費」の原義を活かすような「消費社会」は、他者や自然との直接の交歓や享受のもろもろのエクスタシーをめざすものであり、生産を自己目的とするどんな産業主義的な社会よりも、自然の収奪と他社会からの収奪を少ないものとする仕方で構想することができると説いている。

さらに見田は、「情報」について考察し、情報によってつくりだされたイメージが「ココア・パフ」（トウモロコシ粉などでつくられた朝食用食品）の市場的価格の根幹を形成していることに着目して、次のように語る。

「情報化・消費化社会というこのメカニズムが、必ずしもその原理として不可避的に、資源収奪的なものである必要もないし、他民族収奪的なものである必要もないということ、このような出口の一つのありかを、この事例は逆に示唆している」（二四七〜二四八頁）。

「〈情報化〉それ自体はむしろ、その一般的な可能性においてみれば、この事例の示唆しているように、現代の『消費社会』が、自然収奪的でなく、他社会収奪的でないような仕方で、需要の無限空間を見出すことを、はじめて可能とする条件である」（二四八頁）。

このような見田の新しい「情報化・消費化社会」の構想は、われわれの直面している深刻な諸問題を克服する原理的に新しい構想として、真剣に検討する必要があると思う。

参考文献

○原　典

ここで扱った思想家の著作の多くは、岩波文庫（岩波書店）、『世界の名著』（中央公論社）、『世界の大思想』（河出書房新社）などのシリーズや、『マキャヴェルリ選集』創元社、『ルター著作集』聖文社、『ルソー全集』白水社、『マルクス＝エンゲルス全集』大月書店、『レーニン全集』大月書店、『ルカーチ著作集』白水社、『マンハイム全集』潮出版社などによって、邦訳を読むことができる。

○参　考　書

1　全般にわたるもの

田村秀夫・田中浩ほか編『社会思想事典』中央大学出版部、一九八二年。
城塚登『近代社会思想史』東京大学出版会、一九六〇年。
城塚登編『社会思想史入門』有斐閣、一九六五年（新版八七年）。
生松敬三『社会思想の歴史』日本放送出版協会、一九六九年。
高島善哉・水田洋・平田清明『社会思想史概説』岩波書店、一九六二年。
徳永恂編『社会思想史』弘文堂、一九八〇年。

城塚登編『社会思想史の展開』北樹出版、一九八六年。

城塚登編『社会思想史の構図』八千代出版、一九八九年。

2 個別的なもの

石上良平『マキァヴェリ』牧書店、一九六七年。

有賀弘『宗教改革とドイツ政治思想』東京大学出版会、一九六六年。

R・フリーデンタール（笠利尚ほか訳）『マルティン・ルターの生涯』新潮社、一九七三年。

水田洋編『イギリス革命――思想史的研究』御茶の水書房、一九五八年。

国村秀夫『イギリス革命思想史』創文社、一九六一年。

H・ホロレンショー（佐々木専三郎訳）『レヴェラーズとイギリス革命』未來社、一九六四年。

桑原武夫編『フランス百科全書の研究』岩波書店、一九五四年。

桑原武夫編『ルソー研究』岩波書店、一九五一年。

杉山忠平『アダム・スミス』平凡社、一九七六年。

水田洋『アダム・スミス』講談社学術文庫、一九九七年。

中埜肇『ヘーゲル――理性と現実』中公新書、一九六八年。

城塚登『ヘーゲル』講談社、一九八〇年（講談社学術文庫、九七年）。

永井義雄『イギリス急進主義の研究』御茶の水書房、一九七八年。

坂本慶一『フランス産業革命思想の形成』未來社、一九六一年。

城塚登『若きマルクスの思想』勁草書房、一九七〇年。

内田義彦『資本論の世界』岩波新書、一九六六年。

D・マクレラン（杉原四郎ほか訳）『マルクス伝』ミネルヴァ書房、一九七六年。

関嘉彦『イギリス労働党史』社会思想社、一九六九年。

P・ゲイ（長尾克子訳）『ベルンシュタイン』木鐸社、一九八〇年。

河合秀和『レーニン』中公新書、一九七一年。

H・ルフェーブル（大崎平八郎訳）『レーニン、生涯と思想』ミネルヴァ書房、一九六三年。

『ルカーチ研究』（『著作集』別巻）白水社、一九六九年。

G・H・R・パーキンソン編（平井俊彦監訳）『ルカーチの思想と行動』ミネルヴァ書房、一九七一年。

高幣秀和『ルカーチ弁証法の探求』未來社、一九九八年。

青山秀夫『マックス・ウェーバー』岩波新書、一九五一年。

大塚久雄・安藤英治・内田芳明ほか『マックス・ウェーバー研究』岩波書店、一九六五年。

徳永恂・厚東洋輔編『人間ウェーバー』有斐閣、一九九五年。

山之内靖『マックス・ヴェーバー入門』岩波新書、一九九七年。

阿閉吉男編『マンハイム研究』勁草書房、一九五八年。

M・ジェイ（荒川幾男訳）『弁証法的想像力』みすず書房、一九七五年。

中村達也『ガルブレイスを読む』岩波書店、一九八八年。

山本啓『ハーバマスの社会科学論』勁草書房、一九八〇年。

古田光・作田啓一・生松敬三編『近代日本社会思想史』（全二巻）有斐閣、一九六八、七一年。

見田宗介『現代社会の理論』岩波新書、一九九六年。

文庫版解説　社会思想史は何を物語るか

植村邦彦

本書を手に取った人の多くは、岩波文庫版のカール・マルクス『経済学・哲学草稿』（城塚登・田中吉六訳、一九六四年）や『ユダヤ人問題によせて・ヘーゲル法哲学批判序説』（城塚登訳、一九七四年）の訳者として、著者の名前を目にしたことがあるのではないだろうか。これらの翻訳の仕事からもわかるように、城塚登は戦後日本における初期マルクス研究を主導した思想史家の一人である。

一九二七年に東京に生まれ、一九五一年に東京大学文学部哲学科倫理学専攻を卒業した城塚は、まだ大学院在学中だった一九五五年に、二八歳にして弘文堂から『社会主義思想の成立――若きマルクスの歩み』を出版した。これが彼のデビュー作である。その後、一九五七年から東京大学教養学部の専任講師として「社会思想史」を教えることになり、早くも一九六〇年には教養学部で行った講義をまとめた『近代社会思想史』（東京大学出版会）を出版している。

それに対して、本書は一九九八年四月に有斐閣から出版されたもので、城塚「社会思想史」の最終形態にあたる。本書の原型となったのは一九八五年に出版された放送大学の教材『社会思想史』(放送大学教育振興会)だが、本書はその教材(全一五章)に全面的に加筆するとともに第一六章を付け加え、さらに各章ごとに重要人物を紹介するコラムを加えた、増補改訂版にあたる。

しかし、本書での改訂は、たんなる量的拡大ではなかった。原型と本書の出版との間には、一九八九年の東欧革命と一九九〇年のドイツ再統一、そして一九九一年のソヴィエト連邦の崩壊という世界史的変動が挟まれているからである。本書は、「社会思想史」とは何を物語る学問なのか、という問いに対する一つの回答例でもある。

＊

実は、今年は「社会思想史」という概念が日本に登場してからちょうど一〇〇年にあたる。日本で「社会思想史」と題した本がはじめて出版されたのが一九二三年だったからである。この年の九月に同志社大学教授の波多野鼎(一八九六―一九七六)が『近世社会思想史』(表現社)を出版した。この本は年末までに三刷を数えたが、同年の一二月には東京帝国大学助教授の河合栄治郎(一八九一―一九四四)も『社会思想史研究』第一巻を岩波書店から出版している。

波多野鼎は、東京帝国大学在学中に学生運動団体「新人会」に参加し、一九二二年に新人会OBによる社会科学研究団体「社会思想社」の結成に参加した人物である。波多野のこの著書は、一九世紀のユートピア的社会主義からマルクス主義に至る思想の歴史だった。それに対して河合栄治郎は自由主義者として知られるが、一九二〇年に新設間もない経済学部の助教授になり、一九二二年からイギリスに留学中だった。彼の著書は、アダム・スミスからジェレミー・ベンサムを経てキリスト教社会主義とジョン・スチュアート・ミルに至るまでのイギリス思想史を論じたものである。

このように、一〇〇年前に登場した「社会思想史」は、程度の差はあれ「社会主義が成立するまでの思想の歴史」を叙述するものだった。ドイツの新カント派哲学者カール・フォアレンダー（Karl Vorländer, 1860–1928）の一九二四年の小著『社会主義思想の歴史（Geschichte der sozialistischen Ideen）』が一九二六年に『社会思想史』（高橋正男訳、金星堂）という題名で翻訳出版されたことが、一番わかりやすい例だろう。同じことは社会主義を批判する立場からの著作にも当てはまる。小泉信三（一八八八―一九六六）は共産主義やマルクス経済学に対する厳しい批判で知られるが、彼が慶應義塾大学経済学部での講義をまとめて一九二六年に出版した『近世社会思想史大要』（岩波書店）は、第一編の「社会主義概論」に始まり第五編の「ボルシェヴィズムの理論と実際」で終わる、文字通りの社会主義思想史だった。

このようなものとしての「社会思想史」は、一九三〇年代に日本の中国侵略が始まり、社会主義者や共産主義者に対する弾圧が強化されていく中で出版が途絶えるが、第二次世界大戦後に再び姿を現す。一九五一年に、後に東京大学総長になる大河内一男（一九〇五―一九八四）の『社会思想史』（有斐閣 教養全書）が出版され、一九五二年には、東京大学教養学部の淡野安太郎（一九〇二―一九六七）の『社会思想史』（勁草書房）が出版されている。一九五六年には、後に城塚とともに社会思想史学会を立ち上げる名古屋大学経済学部の水田洋（一九一九―二〇二三）が『社会思想小史』（ミネルヴァ書房 社会科学選書）を出版した。水田のこの著書は『小史』と称しながら、古代ギリシアから二〇世紀までの思想を取り上げているが、象徴的なことに最後は「レーニンの登場」で終わっている。

＊

城塚が一九六〇年に出版した『近代社会思想史』も、このような流れの中に位置づけられる。「近代」と限定したのは、一四世紀イタリアのルネサンスの時代から始めているからである。城塚は、序章「思想と人間と社会——社会思想史の方法と対象について」で、ある時代・社会の「典型的人間像」を析出し、それを媒介項とすることによって社会的現実との動的連関において思想を捉えるのが、社会思想史の方法だと述べている。

そのような方法論に基づいて、この著書は、第一章「ルネサンス的人間の社会思想」から始まり、「〈職業人〉の社会思想」「啓蒙的人間の社会思想」「現実的人間の社会思想」を経て第五章「社会的人間の社会思想——社会主義思想の成立」で終わるという構成を取っている。最終章最終節の見出しは「マルクス主義の成立」であり、その最終段落で城塚は次のように述べている。「こうして新しい人間観・世界観を獲得したマルクスは、それにもとづいて、人間の現実的自己疎外の克服、労働者階級の自己解放が、社会の客観的な歴史的発展の必然的過程であることを証明し、革命を通じての社会主義社会の建設という具体的実践目標を提示することができたのであった」(同書、二九〇頁)。

したがって、この『近代社会思想史』も「社会主義思想の歴史」の一つだったのであり、デビュー作の『社会主義思想の成立』を、より広い歴史的・思想的文脈の中に置き直したものになっていた。ただし、城塚の考える「社会主義」が、当時の教条主義的マルクス主義やソヴィエト連邦の「社会主義」などとは異なるものであったことは、確認しておく必要がある。デビュー作の改訂増補版である『若きマルクスの思想——社会主義思想の成立』(勁草書房、一九七〇年)の「改訂版まえがき」で、城塚は次のように回想している。

「当時の私は、マルクス主義思想をすでに出来あがったものと見なして解釈に専念する態度、ソヴィエトを社会主義体制のモデルとみなして、それを模倣しようとする態度、思想や主体的実践を抜きにして理論や制度を論じようとする態度に、強い反感をもっていた。私にとっては、マルクスとともに現代に生きることが課題だったのである。……われわれは、マルクスの姿勢や方法をわがものとすることによって、マルクスとともに「現代に生きる」こと、つまりわれわれの歴史的社会的現実と対決し、それを変革していくことができる。そのようにして、枯死しているマルクス主義思想を蘇生させることができると考えていたのであった」(同書、i—ii頁)。

＊

このような初心を、城塚はおそらく終生忘れることはなかった。しかしながら、社会思想史が物語る内容そのものは、その後変化していく。「社会思想史」が「社会主義思想の歴史」の同義語だった時代は終わりを告げる。それは、一方では一九五六年のハンガリー事件や一九六八年の「プラハの春」とチェコ事件などを通してソ連・東欧の「社会主義」が「人間の顔」をしていないことが明らかになっていくからであり、他方では一九七〇年代に「社会思想史」が人文科学と社会科学にまたがる一つの学問分野として確立していったからである。

一九七一年に始まる『季刊 社会思想』の編集発行という準備期間を経て、一九七六年に社会思想史学会が設立され、一九七七年から学会誌『社会思想史研究』の刊行が始まった。この学会は、文学、哲学、倫理学、政治学、経済学、社会学などさまざまな分野の研究者が集まって「学際的」であることを標榜して創設された学会であり、初代の代表幹事には水田洋が選ばれた。そして、第二代の代表幹事に就任したのが城塚登だった。

この学会では、一九七八年の第三回大会で「現代社会主義論」、翌年の第四回大会で「マルクス主義思想の現段階」と題するシンポジウムが開催されており、いずれも城塚が司会進行を務めた。第三回シンポジウムの冒頭挨拶で、城塚はその趣旨を次のように述べている。「現在、社会主義思想あるいは社会主義運動は、極めて多元的に分裂しております。これは、具体的な発展だということもできますが、また焦点がぼけてしまって、いったい社会主義とは何なのか、という根本問題が提起されているとみることもできます」（『社会思想史研究』第三号、一九七九年、二頁）。しかし、これらのシンポジウムで明確な合意が得られたわけではなく、その後のシンポジウムで社会主義が論じられることもなかった。

この学会の到達点と社会思想史の現段階については、学会の四〇周年記念企画である社会思想史学会編『社会思想史事典』（丸善出版、二〇一九年）が参考になる。

*

改めて本書『社会思想史講義』の独自性を確認することにしよう。一九六〇年の『近代社会思想史』が「ルネサンス的人間」に始まってマルクスにおける「社会主義思想の成立」で終わることはすでに見た。実は、この旧著の「あとがき」に城塚は、「なお、一八四八年以降の社会思想史については、『現代社会思想史』としてあらためてまとめる予定である」（同書、二九五頁）と書いていた。本書はこの予告を三八年後に成就したものである。

城塚は、一九六〇年の著書の後、編著としては社会思想史の教科書を何度も出版している（『社会思想史入門』有斐閣双書、一九六五年、など）。しかし、単独の著作とししては、本書の原型そのものが四半世紀ぶりに書き下ろした社会思想史の通史だった。その増補改訂版である本書は、第一章「近代的人間の登場」から第八章「マルクスの人間解放思想」までの前半がほぼ旧著の「近代社会思想史」に相当するが、残りの半分、第九章から第一六章までが、一九世紀後半以降二〇世紀末に至る「現代社会思想史」になっている。

ルネサンスから二〇世紀までを論じた社会思想史の教科書には現在さまざまなものがあるが、類書には見られない本書の独自性は、現代社会、とりわけ現代日本が抱えている諸問題に対する著者の切実な危機意識にある。それは、本書の第一二章以下で論じられている、合理化と官僚制の問題、大衆社会や管理社会の問題などであり、なかでも重要なのが第一六章「現代日本社会の諸課題」である。第一節の「克服できていない二〇世紀の課題」にしても、第二節の「情報化・消費化社会の展望」にしても、二一世紀に生きる私たちにとって依然として「克服できていない課題」であり続けているからである。

その第一六章第一節の末尾に、城塚は次のように書いている。「このような状況のなかで、われわれは、生産の場、消費の場、市民生活の場において、それぞれ、個人としての自立を確保しつつ、他人たちと連帯を築いていく努力を積み重ねていくことが、今後の課題となるであろう」（本書、二四五頁）。いま目の前にある問題と課題は多様化し重層化してきたが、デビュー作に込められていた、「われわれの歴史的社会的現実と対決し、それを変革していく」という城塚の初心に揺らぎがないことは、ここからもよくわかる。

社会思想史の研究対象はあくまでも歴史上の思想や言説であり、本書で「課題」とされている民主主義の問題や環境問題、南北問題などに対して直接の解答を与えるものではない。それは社会思想史の限界である。しかし、さまざまな時代のさまざまな思想や言説に学ぶことで、私たちが生きている今現在の諸問題に関する議論の水準を上げることはできる。それがおそらく社会思想史の存在意義である。

ちなみに、城塚は一九八八年に東京大学を退職して名誉教授となったが、本書執筆の時点では共立女子大学の学長であり、日本倫理学会の会長でもあった。そのような多忙の中で書き上げた本書を生前最後の著書として残し、城塚は二〇〇三年に永眠した。享年七五歳だった。

（うえむら・くにひこ　関西大学名誉教授／社会思想史）

ま・や・ら 行

書名索引

あ・か 行

さ 行

た・な 行

は 行

ラ 行

人名索引

ア　行

カ　行

サ　行

や　行

ら　行

は　行

ま　行

た　行

な　行

事項索引

本書は、一九九八年四月三〇日、有斐閣より
刊行されたものである。

リヴァイアサン(下)　トマス・ホッブズ　加藤節訳

キリスト教徒の政治的共同体における本質と諸権利、そして「暗黒の支配者たち」を論じて大著は完結する。近代政治哲学の歩みはここから始まった。

知恵の樹　H・マトゥラーナ／F・バレーラ　管啓次郎訳

生命を制御対象ではなく自律主体とし、自己創出を良き環と捉え直した新しい生物学。現代思想に影響を与えたオートポイエーシス理論の入門書。

社会学的想像力　C・ライト・ミルズ　伊奈正人／中村好孝訳

なぜ社会学を学ぶのか。抽象的な理論や微細な調査に明け暮れる現状を批判し、個人と社会を架橋する学という原点から問い直す重要古典、待望の新訳。

パワー・エリート　C・ライト・ミルズ　鵜飼信成／綿貫譲治訳

エリート層に権力が集中し、相互連結しつつ大衆社会を支配する構図を詳細に分析。世界中で読まれる階級論・格差論の古典的必読書。（伊奈正人）

メルロ＝ポンティ・コレクション　モーリス・メルロ＝ポンティ　中山元編訳

意識の本性を探究し、生活世界の現象学的記述を実存主義的に企てたメルロ＝ポンティ。その思想の粋を厳選して編んだ入門のためのアンソロジー。

知覚の哲学　モーリス・メルロ＝ポンティ　菅野盾樹訳

時代の動きと同時に、哲学自体も大きく転身した。それまでの存在論の転回を促したメルロ＝ポンティ哲学と現代哲学の核心を自ら語る。

精選シーニュ　モーリス・メルロ＝ポンティ　廣瀬浩司編訳

メルロ＝ポンティの代表的論集『シーニュ』より重要論考のみを厳選し、新訳。精確かつ平明な訳文と懇切な注釈により、その真価が明らかとなる。

われわれの戦争責任について　カール・ヤスパース　橋本文夫訳

時の政権に抗いながらも「侵略国の国民」となってしまった人間は、いったいにどう戦争の罪と向き合えばよいのか。戦争責任論不朽の名著。（加藤典洋）

フィヒテ入門講義　ヴィルヘルム・G・ヤコブス　鈴木崇夫ほか訳

フィヒテは何を目指していたのか。その現代性とは——。フィヒテ哲学の全領域を包括的に扱い、核心部分を明快に解説した画期的講義。本邦初訳。

哲学入門
バートランド・ラッセル 高村夏輝訳

誰にも疑えない確かな知識など、この世にあるのだろうか。近代哲学が問い続けてきた諸問題を、これ以上なく明確に説く哲学入門書の最高傑作。

論理的原子論の哲学
バートランド・ラッセル 高村夏輝訳

世界は原子的事実で構成され論理的分析で解明しうる——急速な科学進歩の中で展開する分析哲学。現代哲学史上あまりに名高い講演録、本邦初訳。

現代哲学
バートランド・ラッセル 高村夏輝訳

世界の究極的あり方とは？ そこで人間はどう描けるのか？ 現代哲学の始祖が、哲学と最新科学の知見を総動員。統一的な世界像を提示する。本邦初訳。

存在の大いなる連鎖
アーサー・O・ラヴジョイ 内藤健二訳

西洋人が無意識裡に抱き続けてきた「存在の大いなる連鎖」という観念。その痕跡をあらゆる学問分野に探り「観念史」研究を確立した名著。（高山宏）

自発的隷従論
エティエンヌ・ド・ラ・ボエシ 山上浩嗣訳 西谷修監修

圧制は、支配される側の自発的な隷従によって永続する——支配・被支配構造の本質を喝破した古典的名著。20世紀の代表的な関連論考を併録。（西谷修）

アメリカを作った思想
ジェニファー・ラトナー＝ローゼンハーゲン 入江哲朗訳

「新世界」に投影された諸観念が合衆国を作り、社会に根づき、そして数多の運動を生んでゆく——。アメリカ思想の五〇〇年間を通観する新しい歴史。

価値があるとはどのようなことか
ジョセフ・ラズ 森村進／奥野久美恵訳

価値の普遍性はわれわれの偏好といかに調和されるか——。愛着・価値・尊重をめぐってなされる入念な考察。現代屈指の法哲学者による比類ない講義。

カリスマ
C・リンドホルム 森下伸也訳

集団における謎めいた現象「カリスマ」について多面的な考察を試み、ヒトラー、チャールズ・マンソンらを実例として分析の俎上に載せる。（大田俊寛）

自己言及性について
ニクラス・ルーマン 土方透／大澤善信訳

国家、宗教、芸術、愛……。私たちの社会を形づくるすべてを動態的・統一的に扱う理論は可能か？ 20世紀社会学の頂点をなすルーマン理論への招待。

中世の覚醒　リチャード・E・ルーベンスタイン　小沢千重子訳
中世ヨーロッパ、一人の哲学者の著作が人々の思考様式と生活を根底から変えた——。「アリストテレス革命」の衝撃に迫る傑作精神史。（山本芳久）

レヴィナス・コレクション　エマニュエル・レヴィナス　合田正人編訳
人間存在と暴力について、独創的な倫理にもとづく存在論哲学を展開し、現代思想に大きな影響を与えているレヴィナス思想の歩みを集大成。

実存から実存者へ　エマニュエル・レヴィナス　西谷修訳
世界の内に生きて「ある」とはどういうことか。存在は「悪」なのか。初期の主著にしてアウシュヴィッツ以後の哲学的思索の極北を示す記念碑的著作。

倫理と無限　エマニュエル・レヴィナス　西山雄二訳
自らの思想の形成と発展を、代表的著作にふれながら語ったインタビュー。平易な語り口で、自身によるレヴィナス思想の解説とも言える魅力的な一冊。

仮面の道　C・レヴィ＝ストロース　山口昌男／渡辺守章／渡辺公三訳
北太平洋西岸の原住民が伝承する仮面。そこに反映された神話世界を、構造人類学のラディカルな理論で切りひらいて見せる。増補版を元にした完全版。

黙示録論　D・H・ロレンス　福田恆存訳
抑圧が生んだ歪んだ自尊と復讐の書「黙示録」を読みとき、現代人が他者を愛することの困難とその克服を切実に問うた20世紀の名著。（高橋英夫）

考える力をつける哲学問題集　スティーブン・ロー　中山元訳
宇宙はどうなっているのか？　心とは何か？　遺伝子操作は許されるのか？　多彩な問いを通し、「哲学する」技術と魅力を堪能できる対話集。

プラグマティズムの帰結　リチャード・ローティ　室井尚ほか訳
真理への到達という認識論的欲求と、その呪縛からの脱却を模索したプラグマティズムの系譜。その戦いを経て、哲学に何ができるのか？　鋭く迫る！

知性の正しい導き方　ジョン・ロック　下川潔訳
自分の頭で考えることはなぜ難しく、どうすればその困難を克服できるのか。近代を代表する思想家が、誰にでも実践可能な道筋を具体的に伝授する。

倫理問題101問
マーティン・コーエン
榑沼範久訳
何が正しいことなのか。医療・法律・環境問題等、私たちの周りに溢れる倫理的なジレンマから101の題材を取り上げて、ユーモアも交えて考える。

哲学101問
マーティン・コーエン
矢橋明郎訳
全てのカラスが黒いことを証明するには？　コンピュータと人間の違いは？　哲学者たちが頭を捻った101問を、譬話で考える楽しい哲学読み物。

解放されたゴーレム
ハリー・コリンズ／トレヴァー・ピンチ
村上陽一郎／平川秀幸訳
科学技術は強力だが不確実性に満ちた「ゴーレム」である。チェルノブイリ原発事故、エイズなど7つの事例をもとに、その本質を科学社会的に繙く。

存在と無（全3巻）
ジャン＝ポール・サルトル
松浪信三郎訳
人間の意識の在り方（実存）をきわめて詳細に分析し、存在と無の弁証法を問い究め、実存主義を確立した不朽の名著。現代思想の原点。

存在と無 I
ジャン＝ポール・サルトル
松浪信三郎訳
I巻は、「即自」と「対自」が峻別される緒論「存在の探求」から、「対自」としての意識の基本的在り方が論じられる第二部「対自存在」まで収録。

存在と無 II
ジャン＝ポール・サルトル
松浪信三郎訳
II巻は、第三部「対他存在」を収録。私と他者との相剋関係を論じた「まなざし」論をはじめ、愛、憎悪、マゾヒズム、サディズムなど具体的な他者論を展開。

存在と無 III
ジャン＝ポール・サルトル
松浪信三郎訳
III巻は、第四部「持つ」「為す」「ある」を収録。この三つの基本的カテゴリーとの関連で人間の行動を分析し、絶対的自由を提唱。（北村晋）

公共哲学
マイケル・サンデル
鬼澤忍訳
経済格差、安楽死の幇助、市場の役割など、私達が現代の問題を考えるのに必要な思想とは？　ハーバード大講義で話題のサンデル教授の主著、初邦訳。

パルチザンの理論
カール・シュミット
新田邦夫訳
二〇世紀の戦争を特徴づける「絶対的な敵」殲滅の思想の端緒を、レーニン・毛沢東らの《パルチザン》戦争という形態のなかに見出した画期的論考。

政治思想論集　カール・シュミット　服部平治／宮本盛太郎訳

現代新たな角度で脚光をあびる政治哲学の巨人が、その思想の核を明かしたテクストを精選して収録。権力の源泉や限界といった基礎もわかる名論文集。

神秘学概論　ルドルフ・シュタイナー　高橋巖訳

宇宙論、人間論、進化の法則と意識の発達史を綴り、シュタイナー思想の根幹を展開する——四大主著の一冊、渾身の訳し下し。（笠井叡）

神智学　ルドルフ・シュタイナー　高橋巖訳

神秘主義的思考を明晰な思考に立脚した精神科学へと再編し、知性と精神性の健全な融合をめざしたシュタイナーの根本思想。四大主著の一冊。

いかにして超感覚的世界の認識を獲得するか　ルドルフ・シュタイナー　高橋巖訳

すべての人間には、特定の修行を通して高次の認識を獲得できる能力が潜在している。その顕在化のための道すじを詳述する不朽の名著。

自由の哲学　ルドルフ・シュタイナー　高橋巖訳

社会の一員である個人の究極の自由はどこに見出されるのか。思考は人間に何をもたらすのか。シュタイナー全業績の礎をなしている認識論哲学。

治療教育講義　ルドルフ・シュタイナー　高橋巖訳

障害児が開示するのは、人間の異常性ではなく霊性である。人智学の理論と実践を集大成したシュタイナー晩年の最重要講義。改訂増補決定版。

人智学・心智学・霊智学　ルドルフ・シュタイナー　高橋巖訳

身体・魂・霊に対応する三つの学が、霊視霊聴を通じた存在の成就への道を語りかける。人智学協会の創設へ向け最も注目された時期の率直な声。

ジンメル・コレクション　ゲオルク・ジンメル　北川東子編訳　鈴木直訳

都会、女性、モード、貨幣をはじめ、取っ手や橋・扉にまで哲学的思索を向けた「エッセーの思想家」の姿を一望する新編・新訳のアンソロジー。

私たちはどう生きるべきか　ピーター・シンガー　山内友三郎監訳

社会の10％の人が倫理的に生きれば、政府が行う社会変革よりもずっと大きな力となる——環境・動物保護の第一人者が、現代に生きる意味を鋭く問う。

自然権と歴史
レオ・シュトラウス
塚崎智／石崎嘉彦訳
自然権の否定こそが現代の深刻なニヒリズムをもたらした。古代ギリシアから近代に至る思想史を大胆に読み直し、自然権論の復権をはかる20世紀の名著。

生活世界の構造
アルフレッド・シュッツ／トーマス・ルックマン
那須壽監訳
「事象そのものへ」という現象学の理念を社会学研究で実践し、日常を生きる「普通の人びと」の視点から日常生活世界の「自明性」を究明した名著。

哲学ファンタジー
レイモンド・スマリヤン
高橋昌一郎訳
論理学の鬼才が、軽妙な語り口ながら、切れ味抜群の思考法で哲学から論理学まで広く論じた対話篇。哲学することの魅力を堪能しつつ、思考を鍛える！

ハーバート・スペンサーコレクション
ハーバート・スペンサー
森村進編訳
自由はどこまで守られるべきか。リバタリアニズムの源流となった思想家の理論の核が凝縮された論考を精選し、平明な訳で送る。文庫オリジナル編訳。

ナショナリズムとは何か
アントニー・D・スミス
庄司信訳
ナショナリズムは創られたものか、それとも自然なものか。この矛盾に満ちた心性の正体を、世界的権威が徹底的に解説する。最良の入門書、本邦初訳。

日常的実践のポイエティーク
ミシェル・ド・セルトー
山田登世子訳
読書、歩行、声。それらは分類し解析する近代的知が見落とす、無名の者の戦術である。領域を横断し、秩序に抗う技芸を描く。（渡辺優）

反解釈
スーザン・ソンタグ
高橋康也他訳
《解釈》を偏重する在来の批評に対し、《形式》を感受する官能美学の必要性をとき、理性や合理主義に対する感性の復権を唱えたマニフェスト。

ウォールデン
ヘンリー・D・ソロー
酒本雅之訳
たったひとりでの森の生活。そこでの観察と思索の記録は、いま、ラディカルな物質文明批判となり、精神の主権を回復する。名著の新訳決定版。

声と現象
ジャック・デリダ
林好雄訳
フッサール『論理学研究』の綿密な読解を通して、「脱構築」「痕跡」「差延」「代補」「エクリチュール」など、デリダ思想の中心的〝操作子〟を生み出す。

空間の詩学
ガストン・バシュラール
岩村行雄訳
家、宇宙、貝殻など、さまざまな空間が喚起する詩的イメージ。新たなる想像力の現象学を提唱し、人間の夢想に迫るバシュラール詩学の頂点。

リキッド・モダニティを読みとく
ジグムント・バウマン
酒井邦秀訳
変わらぬ確かなものなどもはや何一つない現代世界。社会学の泰斗が身近な出来事や世相から〈液状化〉の具体相に迫る真摯で痛切な論考。文庫オリジナル。

社会学の考え方〔第2版〕
ジグムント・バウマン／ティム・メイ
奥井智之訳
日常世界はどのように構成されているのか。日々変化する現代社会をどう読み解くべきか。読者を〈社会学的思考〉の実践へと導く最高の入門書。新訳。

コミュニティ
ジグムント・バウマン
奥井智之訳
グローバル化し個別化する世界のなかで、コミュニティはいかなる様相を呈しているか。安全をとるか、自由をとるか。代表的社会学者が根源から問う。

近代とホロコースト〔完全版〕
ジグムント・バウマン
森田典正訳
近代文明はホロコーストの必要条件であった――。社会学の視点から、ホロコーストを現代社会の本質に深く根ざしたものとして捉えたバウマンの主著。

フーコー文学講義
ミシェル・フーコー
柵瀬宏平訳
シェイクスピア、サド、アルトー、レリス……。フーコーが文学と取り結んでいた複雑で、批判的で、戦略的な関係とは何か。未発表の記録、本邦初訳。

ウンコな議論
ハリー・G・フランクファート
山形浩生訳／解説
ごまかし、でまかせ、いいのがれ。なぜ世の中、こんなものがみちるのか。道徳哲学の泰斗がその正体とカラクリを解く。爆笑必至の訳者解説を付す。

21世紀を生きるための社会学の教科書
ケン・プラマー
赤川学監訳
パンデミック、経済格差、気候変動など現代世界が直面する諸課題を視野に収めつつ社会学の新しい知見を解説。社会学の可能性を論じた最良の入門書。

世界リスク社会論
ウルリッヒ・ベック
島村賢一訳
迫りくるリスクは我々から何を奪い、何をもたらすのか。『危険社会』の著者が、近代社会の根本原理をくつがえすリスクの本質と可能性に迫る。

兵士の革命　木村靖二
キール軍港の水兵蜂起から、全土に広がったドイツ革命。軍内部の詳細分析を軸に、民衆も巻き込みながら帝政ドイツを崩壊させたダイナミズムに迫る。

女王陛下の影法師　君塚直隆
ジョージ三世からエリザベス二世、チャールズ三世まで、王室を陰で支えつづける君主秘書官たち。その歴史から、英国政治の実像に迫る。（伊藤之雄）

共産主義黒書〈ソ連篇〉　ステファヌ・クルトワ／ニコラ・ヴェルト　外川継男訳
史上初の共産主義国家〈ソ連〉は、大量殺人・テロル・強制収容所を統治形態にまで高めた。レーニン以来行われてきた犯罪を赤裸々に暴いた衝撃の書。

共産主義黒書〈アジア篇〉　ステファヌ・クルトワ／ジャン＝ルイ・マルゴラン　高橋武智訳
アジアの共産主義国家は抑圧政策においてソ連以上の悲惨を生んだ。中国、北朝鮮、カンボジアなどでの実態は我々に歴史の重さを突き付けてやまない。

ヨーロッパの帝国主義　アルフレッド・W・クロスビー　佐々木昭夫訳
15世紀末の新大陸発見以降、ヨーロッパ人はなぜ次々と植民地を獲得できたのか。病気や動植物に着目して帝国主義の謎を解き明かす。（川北稔）

民のモラル　近藤和彦
統治者といえど時代の約束事に従わざるをえなかった18世紀イギリス。新聞記事や裁判記録、ホーガースの風刺画などから騒擾と制裁の歴史をひもとく。

台湾総督府　黄昭堂
清朝中国から台湾を割譲させた日本は、新たな統治機関として台北に台湾総督府を組織した。抵抗と抑圧と建設。植民地統治の実態を追う。（檜山幸夫）

新版　魔女狩りの社会史　ノーマン・コーン　山本通訳
「魔女の社会」は実在したのだろうか？　資料を精確に読み解き、「魔女」にまつわる言説がどのように形成されたのかを明らかにする。（黒川正剛）

増補　大衆宣伝の神話　佐藤卓己
祝祭、漫画、シンボル、デモなど政治の視覚化は大衆の感情をどのように動員したか。ヒトラーが学んだプロパガンダを読み解く「メディア史」の出発点。

ちくま学芸文庫

社会思想史講義(しゃかいしそうしこうぎ)

二〇二三年八月十日　第一刷発行

著者　城塚登（しろつか・のぼる）

発行者　喜入冬子

発行所　株式会社　筑摩書房
東京都台東区蔵前二—五—三　〒一一一—八七五五
電話番号　〇三—五六八七—二六〇一（代表）

装幀者　安野光雅

印刷所　株式会社精興社

製本所　株式会社積信堂

ISBN978-4-480-51199-7 C0130